D0832586

DÖRLEMANN

Michael Frayn

# Streichholzschachtel-theater

Dreißig zündende Unterhaltungen

Aus dem Englischen
von
Michael Raab

DÖRLEMANN

Die Originalausgabe »Matchbox Theatre« erschien 2014
bei Faber & Faber in London.


Dieses Buch ist auch als DÖRLEMANN eBook erhältlich.
ISBN (epub) 978-3-908778-62-2

Anmerkung des Autors: Zwei dieser Sketche, *Geteiltes Vergnügen* und
*Außenreportage*, erschienen in früheren Sammelbänden, sind aber bisher noch unaufgeführt. Zwei weitere, *Auf den Punkt* und *Zwischen den
Stühlen*, wurden in einer Tournee-Inszenierung als Teile von *Ping Pong*
gespielt, sind jedoch noch unveröffentlicht.
*Tea für wen?* basiert mit freundlicher Genehmigung der Rechteinhaber
auf *Tea For Two*, Text von Irving Caesar, Musik von Vincent Yeomans,
© 1924 (erneuert) Irving Caesar Music Corp. (ASCAP) und WB Music
Corp. (ASCAP). Alle Rechte vorbehalten.

## Willkommen im Streichholzschachteltheater!

Bitte stellen Sie sicher, dass Ihre Handys und weiteren elektronischen Geräte alle angeschaltet sind. Ihre Anrufe sind uns wichtig!

Fotografieren Sie während der gesamten Vorstellung und blockieren Sie gerne die Gänge. Lassen Sie Ihr Gepäck unbeaufsichtigt! Essen Sie! Trinken Sie! Schlafen und schnarchen Sie! Rennen Sie ruhig mittendrin raus, wenn Ihnen danach ist, klappen Sie dabei Ihre Sitze möglichst laut nach oben und knallen Sie die Ausgangstüren beherzt zu!

STREICHHOLZSCHACHTELTHEATER
UNTERSTÜTZT ENERGIESPARENDE UND
DEN STRASSENVERKEHR ENTLASTENDE
MASSNAHMEN

# Schlafende

*Ein Grabmal. Sir Geoffrye de Frodsham und Lady Hilarye liegen bewegungslos Seite an Seite, ein Hündchen zu ihren Füßen.*

*Etliche Jahre vergehen. Dann wummert Rockmusik durch die Mauern.*

Geoffrye? Du bist doch wach. Ich hör's an deinem Atem. Tu nicht so, als ob du schläfst. Bei dem Krach kann keiner schlafen ... Geoffrye!

    Hm?

Es geht schon wieder los. Mach was. Geh runter in die Krypta und rede mit ihnen.

    Es hört gleich auf.

Von wegen, die machen die ganze Nacht durch ... Hämmer wenigstens auf den Boden.

    Hämmer du doch.

Wer hat denn hier ein Schwert? Ich dreh noch durch!

Sie werden gleich beten.

Beten? Während der Disco?

Es ist keine Disco.

Und ob es eine Disco ist!

Es ist die musikalische Abendandacht.

Was faselst du da?

Die musikalische Abendandacht! Macht er für die Jugend! In der Krypta!

Am Samstagabend?

Am Sonntagnachmittag.

Es ist Samstagabend.

Es ist Sonntagnachmittag.

Du hast jedes Zeitgefühl verloren. Sonntagnachmittag!? Es ist dunkel!

Es ist Winter!

Es ist Sommer!

Es ist Winter!

9

Seit wann hält er denn die musikalische Abendandacht in der Krypta?

Seit 1997.

Ist mir noch nie aufgefallen.

Du hast geschlafen.

Bei dem Krach?

Du hast auch den ganzen Zweiten Weltkrieg verschlafen ... Es hat jedenfalls aufgehört. Hab ich doch gesagt.

Gleich geht's wieder los.

Hm.

Mach dich nicht lächerlich. Du schläfst nicht. Ich seh's an deiner Haltung.

Was für eine Haltung denn?

Keine Schlafhaltung. So schläft keiner.

Ach ja?

So steif und unnatürlich. Die Hände zusammengepresst. Selbst du nicht.

Nimm eine Tablette.

Keine Ahnung, warum du diese Schlafnummer abziehst, wenn es angeblich Nachmittag ist.

Hast du keine Tablette?

Woher soll ich denn eine Tablette haben?

Vielleicht hat sie der Hund gefressen.

Lass den Hund aus dem Spiel.

Dieser Hund hat hier nichts verloren.

Er hält mir die Füße warm.

Kein Wunder, dass wir nicht schlafen können. Bei den ganzen Flöhen.

*Irgendwas* muss mich ja warm halten.

Was soll jetzt das wieder heißen?

Nichts.

Nichts. Oh.

Was sollte es denn deiner Meinung nach heißen?

Nichts.

Dann ist ja gut.

Dauernd sagst du Sachen, die nichts bedeuten.

Jedenfalls besser, als dauernd gar nichts zu sagen. Das ist deine Spezialität.

Ich sage also nie was. »Dauernd gar nichts« – interessante Formulierung. Das mach ich? Dauernd gar nichts sagen?

Nichts *sagen*, nein. Nicht *reden*.

Ich liege also stumm da.

Hört sich jedenfalls so an.

Ja, *was* denn nun? Ich warte immer noch auf eine Antwort.

Auf was wartest du?

Den Jüngsten Tag.

Ist schon komisch. Alle halten uns für das perfekte Paar.

Wer hält uns für das perfekte Paar?

Die Kirchenbesucher.

Das liegt daran, dass du schön die Klappe hältst, wenn jemand da ist.

Genau wie du.

Klar doch. Wenn jemand da ist.

Jemand wie ich.

Eins kann ich dir sagen: Gesprächiger als der Hund bin ich allemal.

Also, wenn du nichts Vernünftiges zu sagen hast, schlafen wir besser.

Ich denke, du kannst nicht schlafen?

Kann ich auch nicht. Ich liege hier seit 1934 wach! Was?

Hab nichts gesagt.

Aber gedacht. Dann kannst du's auch ruhig laut sagen. Ich kann nicht schlafen, wenn du hier liegst und grübelst.

Was grübel ich denn?

Weißt du sehr wohl. Und es stimmt nicht! Ich hab den Zweiten Weltkrieg *nicht* verschlafen!

Vielleicht war's ja auch der Erste.

Und dann hampelst du dauernd rum.

Ich liege hier stocksteif ...

Du knirschst mit den Zähnen.

Wie soll ich denn mit den Zähnen knirschen, wenn ich rede?

Hör dir doch bloß zu! Krach, bumm! Wie Mühlsteine!

Das sind meine Lider. Ich hab die Augen zugemacht.

Gleich kriegst du wieder einen Krampf.

Ich krieg nur Krämpfe, wenn ich dran denke.

Und dann geht das Gehampel los!

Ich denke nicht dran, das kannst du vergessen.

Wie von der Tarantel gestochen schießt du los.

Ich denke *nicht* dran!

Hopst wie ein Frettchen im Sack durch die Kirche ... Gleich geht's los ...

Au!

Da! Sag ich doch! Das ganze Grabmal hat's durchgeschüttelt!

Es ist immer dasselbe mit dir!

Trampelst hier auf dem Boden rum. Sie hören dich noch in der Krypta!

Grad eben *sollten* sie mich doch noch hören?

Nicht, wenn sie ruhig sind. Sonst fangen sie nur wieder an! Ist schon komisch. *Ich* bitte dich, Lärm zu machen –

und nein danke. Kaum passt es dir in den Kram – aber gerne – trampel, trampel, trampel!

Au!

Geh zum Arzt! Lass dir ein paar Tabletten verschreiben! Andere Männer führen sich nicht so auf! Die liegen ganze Jahrhunderte ruhig auf ihrem Grabmal, ohne so eine Show abzuziehen! Das letzte Mal war's mitten im Gottesdienst! Leute waren da! Du hast dich voll zum Affen gemacht. Alle dachten, du bist total durchgeknallt. Davongerannt sind sie. Und er musste hier einen Exorzismus veranstalten!

Das ist doch ewig lange her.

Sonntag vor einer Woche!

Der zweite Fastensonntag war's. Ich erinnere mich an die Predigt.

Oh, du erinnerst dich also an die Predigt? Erstaunlich, dass du überhaupt was gehört hast, bei deinem ganzen Gehopse und Gegrapsche.

1885.

1885?

1885.

Du verwechselst da was. 1885 hast du die Fledermausscheiße abgekriegt.

Die Fledermausscheiße hab ich abgekriegt und
einen Krampf.

Muss ja ein ereignisreiches Jahr für dich gewesen sein.

*War* es auch.

Ich hätte eher 1923 gedacht. Als deine Nase dran glauben
musste.

Meine Nase? Das war 1723! Nicht 1923!

1723?

Wir verlieren den Überblick, altes Mädchen. Die
Jahrhunderte verschwimmen ineinander.

Ach, Geoffrye! Was ist nur mit uns passiert?

Mit uns passiert? Gar nichts! Das ist ja das Problem!

Du schaust mich nicht mehr an.

Ich seh auch nicht, dass du mich anschaust.

Weil du nie schaust, um zu sehen, ob ich dich anschaue.

Steifer Hals.

Es gab mal eine Zeit, da hast du mich angeschaut.

Lass uns schlafen.

Wir sind ausgegangen.

Aus?

Manchmal. Ab und zu.

Was, die Straße runter zu Sankt Ethelberts, Ethelbert besuchen?

Wir haben bei Henry und Catherine vorbeigeschaut, in dieser kleinen Seitenkapelle.

Totale Langweiler, die beiden.

Erst nach Cromwell.

Kein Vergnügen, mit Leuten ohne Gesicht zu reden.

Aber vorher. Wir haben getanzt.

Getanzt? Wann war das denn?

Ist lange her. Bevor wir so steif wurden.

Oh. Damals.

Du warst ein guter Tänzer.

Wirklich?

Wenn du erst mal in die Gänge kamst. Aber am ersten Abend ...

17

Wolltest du nicht mit mir tanzen!

Du hast mich nicht aufgefordert! Du bist nur dagestanden! Wie ein Ölgötze! Wie eine Statue! So hätten wir die nächsten 600 Jahre stehen können, anstatt zu liegen!

Aber schließlich ...

Haben wir getanzt.

Und was ist dann passiert?

Wir standen in der Kirche.

Ja. Irgendwo da drüben.

Vor dem Altar.

Und es gab Musik.

Glocken läuteten.

Die Kirche war voller Leute.

Es gab einen Ring.

Und einen Kuss.

Wir sind durch die Menge hindurch aus der Kirche gegangen ...

Und dann ...

Es gab ein Bett.

Wir haben uns auf das Bett gelegt.

So.

Und dann ist etwas passiert.

Ja. Etwas ist passiert ...

Unsere Gelenke sind eingerostet.

Ja, aber vorher ... Manchmal, da hast du doch ...

Hab ich was?

Du hattest die Hände nicht immer so zusammengepresst.

Na ja, also, manchmal hast du auch ein bisschen was mit deinen Händen gemacht.

Du hast eine deiner Hände auf mich gelegt.

So?

Genau so.

Schön. Schön?

Schön.

Sehr schön ... Und was ist dann passiert?

Wir haben vierzehn Kinder gekriegt. Aber einmal ... einmal ... an Gründonnerstag ...

Oh, Gründonnerstag.

Du erinnerst dich?

Ich erinnere mich an diesen Gründonnerstag.

Gründonnerstag 1774.

1774 ... Das war ein gutes Jahr ... 1774 hat mir gefallen ...

Ich glaube, ich habe meine andere Hand ein bisschen lockern können ... Geoffrye?

Hm?

Hör mal, Liebling ... Geoffrye ...? Du bist doch nicht etwa eingeschlafen ...? Oh, nein, jetzt haben diese Teufel in der Krypta wieder angefangen! Geoffrye! Mach was! Hämmer auf den Boden!

Was? Was ist los?

Wach auf!

Ich bin wach. Ich habe nur geträumt, dass ich schlafe ...

# Unerwünschte Anrufe

*Herzlichen Glückwunsch zum Gewinn des ...* Und er hat aufgelegt!

Schon wieder? Das ist jetzt der Dritte!

Er lässt mich nicht mal den Satz beenden! Ich komme nur bis: »*Herzlichen Glückwunsch zum Gewinn des ...*« – und peng! Aufgelegt. Auf welchen Hund ist die Welt nur gekommen? Früher freuten sich die Leute richtig, wenn man sie anrief, um es ihnen mitzuteilen. Eine absolute Ehre war es für sie!

Ehre? Das ist für die doch nur noch ein Fremdwort. Geld, Geld und nochmals Geld – das ist heute das Credo.

Genau, das Geld. Man sollte meinen, wenigstens darüber würden sie sich freuen.

Was, die paar Millionen Kronen? Sie schlagen die Zeitung auf und lesen, dass Banker das Zehnfache einsacken, nur weil sie die Wirtschaft ruiniert haben! Welcher war's denn? Frieden? Also ein Politiker? Das erklärt alles. Macht die dicke Knete. Provisionen, Schmiergelder. Und wechselt dann zu einer Bank. Vergiss Frieden.

Und wenn er gar nicht mitbekommt, dass er gewonnen hat?

Dann sind wir diverse Millionen Kronen im Plus. Versuch einen der anderen. Wer ist der nächste im Computer? Medizin. Versuch's bei Medizin.

Medizin? Einer aus der Pharma-Industrie? Mit den Profiten aus einem Milliarden-Dollar-Medikament, das Tausende in Afrika umbringt?

Kann sein. Kann aber auch nicht sein. Vielleicht ist es ja ein ganz bescheidener Arzt. Ein Heiliger. Betreibt eine Übergewichtsklinik im Urwald. Will keine einzige Krone für sich selbst. Aber jetzt kann er dank uns WCs installieren und Flachbildschirme anschaffen. Um den Hals wird er dir fallen!

Mach nur deine Witze. Du musst ja nicht anrufen.

Komm schon! Ich wähl auch für dich.

Das ist wirklich nicht nett, wenn dauernd aufgelegt wird. Man fühlt sich zurückgewiesen. Von allen gehasst.

Nimm's nicht so persönlich.

Ich kann aber nicht anders! Wahrscheinlich liegt's an meiner Stimme. Sie hören sie und ... peng!

Okay, er ist dran. Klingt richtig sympathisch. Bescheiden, hoffnungsvoll. Der legt bestimmt nicht auf. Los geht's.

Wenn sie drangehen, klingen sie alle hoffnungsvoll. Aber dann ...

Mach schon. Er wartet.

Es wird eh das gleiche Spielchen sein ... *Herzlichen Glückwunsch zum Gewinn des ...* Und schon wieder aufgelegt. So schnell war noch keiner. Ich schmeiß diesen Job. Der Stress ist zu viel für mich.

Okay, lass uns mal überlegen. Vielleicht liegt es ja *tatsächlich* an deiner Stimme. Könnte ein bisschen zu positiv klingen, zu anbiedernd. Sie denken, du willst ihnen etwas verkaufen.

Wie soll man denn sonst »Herzlichen Glückwunsch« sagen?

Vielleicht sagst du besser *nicht* »Herzlichen Glückwunsch«.

*Nicht* »Herzlichen Glückwunsch« sagen? Das geht doch nicht. Es steht in unseren Vorgaben!

Vergiss die Vorgaben. Komm gleich aufs Geld. Wo sind wir? Literatur. Perfekt. Er ist was, ein Lyriker oder so was?

Sie. Irgendeine Litauerin.

Super. Sie hat das Geld dringend nötig. Wirtschaftskrise. Vom Ehemann sitzengelassen. Kinder durchzufüttern ... Okay, ich wähle ... Auf einmal hört sie diese Stimme am Telefon: »Unsere Unterlagen besagen, dass Ihnen eine größere Summe zustehen könnte ...« Etwas in der Art ... Sie ist dran ... Guter Gott! Die klingt aber verzweifelt! Los geht's!

*Hallo! Unsere Unterlagen besagen ...* Und peng. Ich hab richtig Beklemmungsgefühle.

Okay, gehen wir's ein bisschen indirekter an. Mach's spannend ... Wer ist der Nächste auf der Liste? Physik ... Ich wähl für dich ... Massier dir kurz die Brust – wird schon ... Es klingelt ... Er ist Naturwissenschaftler, hol ihn damit ab. Erweck sein Interesse. Der Computer. Fang mit dem Computer an. Sein Name steht in unserer Datei oder so was. Das will er genauer wissen.

*Der Computer ...? Hallo, hallo! Unser Computer hat uns Ihren Namen ...* Siehst du.

Macht nichts. Sein Verlust, nicht unserer. Wir haben wieder zwanzig Millionen Kronen mehr. Noch drei. Wo sind wir jetzt? Biologie?

Ich glaub, ich geh in Frührente ...

Also, bei Biologie versuchen wir was ganz anderes. Da sind wir cooler. Erinnerst du dich an den alten Werbeslogan? »Verkauf das Brutzeln, nicht das Steak.« Deshalb kommst du diesem Biologie-Typ gar nicht mit seinem Gewinn. Sondern beschreibst ihm die Reise, auf der er ihn sich abholt! Ja? Okay, ich wähle ... Er sitzt in Bangalore. Heiß und staubig dort. Die Klimaanlage im Labor ist defekt. Er träumt von Schnee und Eis. Ein Anruf aus Skandinavien, und er ist völlig aus dem Häuschen. Du erzählst ihm vom Gratis-Champagner. Dem Fünfsternehotel. Der Weltklasse-Gourmet-Küche. Den hübschen blonden Hostessen ... Los geht's ...

Das ist mein letzter Versuch ... *Hallo, hallo! Sie haben eine aufregende Reise nach Stockholm gewonnen ...* Und schon hat er ... Nein! Er hat nicht! Er ist noch dran!

Was hat dir der gute alte Onkel Sven gesagt? Schnell – »Gratis-Champagner, Gratis-Champagner ...!«

Genießen Sie unseren hübschen Gratis-Champagner ... Weltklasse-Blondinen ... Fünf-Sterne-Hostessen ... Jetzt hat er aufgelegt ... Nein, doch nicht! Ich glaub's nicht ...! Hallo? Sind Sie noch ...? Oh, danke! Danke, danke, danke! Dass Sie noch dran sind! Dass Sie zuhören! Sie können sich nicht vorstellen, wie viel mir das bedeutet! Also, ja, Weltklasse-Gratis-Hostessen ... Was? Wo ich hinwill? Wo ich hinwill ...? Gar nirgends will ich hin! Ich doch nicht – Sie! Sie kommen hierher! Ja? Nach Stockholm! Die magische, märchenhafte Stadt, die man auch das Athen des Nordens nennt! Halt, halt. Ich lese Ihnen die offizielle Jurybegründung vor ... Wo ist mein Zettel ...? Ein totaler Schatz! Lauscht gebannt auf jedes meiner Worte ...! So. Sie sind wirklich immer noch dran ...? Wunderbar. Ich fange von oben an. Der komplette Text. Ist das in Ordnung? Sie haben die Zeit? Sie werden nicht auf einmal ...? Nein, okay, dann legen wir los ... Herzlichen Glückwunsch zum Gewinn des Nobelpreises für Biologie ...! Oh ... Oh, ich verstehe. Entschuldigen Sie ...

Selbst der?

Falsche Nummer. Taxifirma in Malmö ...

# Kontraphon

... 537 ... 538 ... 539 ... 973 minus 539 ergibt ... wie viel ...?
Kopfrechnen schwach ... 430 und ein paar Zerquetschte.
Also noch 430 und ein paar zerquetschte Takte, bis ich
wieder dran bin ...

Wobei ich beim Rechnen ein paar Takte verpasst habe.
Gleichzeitig zählen und rechnen geht nicht! Wie viele
hab ich verpasst? Sagen wir ein halbes Dutzend. Und ein
weiteres halbes Dutzend, als ich *das* ausgerechnet habe ...
Wir sind also irgendwo bei geschätzten 550 ... 551 ...

Was immer noch erst ein Viertel des zweiten Akts ist!

553 ... 555 ... Die Leute sagen: »Sie Glückspilz! Dürfen
jeden Abend in die Oper und werden auch noch dafür bezahlt!« Sollen die doch mal in die Oper gehen und hinten im Orchestergraben sitzen. Unter der Bühne. Und
das Es-Kontraphon spielen. Ein Instrument, das keiner
hören will, nicht einmal der Komponist, bis auf drei
Takte einfach g in der Mitte des zweiten Akts. Und danach 1271 Takte einfach scheiß-gar nichts.

Von hier aus sieht man nur den Rücken der Fagotte. Und Fred am Flügelhorn am nächsten Pult. Den kann ich langsam nicht mehr sehen. Schauen Sie ihn sich an! Geschlagene vierzig Takte nach seinem letzten Beitrag zu unserer Veranstaltung, und er fummelt immer noch an seiner Wasserklappe herum ...

567 ... 568 ... Ich kriege zu hören: »Dann können Sie ja wenigstens die Musik genießen.« Die Musik genießen? Wenn du versuchst, 973 Takte im Kopf herunterzuzählen? 573 ... 574 ... Verzweifelt versuchst, dich nicht ablenken zu lassen, aber nur denken kannst: 577 ... 578 ... Nichts anzugucken als die dünne schwarze Linie in der Partitur, über der 973 steht. Den Rücken der Fagotte. Und Fred. Freds nervende, ablenkende Fummelfinger. Nicht mal *hören* kann man die Musik!

Jetzt habe ich mich schon wieder verzählt ...! Nein, prima, Fred kommt mit seinem nächsten Einsatz, und der ist mein Takt 595. Fred weiß immer, wo wir sind. Die Uhr kann man nach ihm stellen. Nichts lenkt ihn ab. Hat keine Fantasie. Denkt nur an seine Zählerei. Mathe-Leistungskurs natürlich.

Damals ging's für mich bergab. Mathe-Versager ... Mr. Smother meinte: »Kein Problem, Miss Evermore erzählt, du strengst dich in der Blockflötengruppe richtig an – werd doch Musiker ...«

Jetzt fummelt der schon wieder an seiner Wasserklappe rum. War wahrscheinlich auch im Klempner-Leistungskurs.

600 ... Nehm ich an. Oder ...? Muss wohl. Mindestens.

Und alle schauen auf dich runter. Die ganzen Musterschüler da vorne bei den Streichern. Drängeln sich um den Dirigenten wie im Kindergarten um den Erzieher. Gucken wichtigtuerisch, weil sie ach so hart arbeiten. Hier sind wir, denken sie, können von Glück sagen, wenn wir einen Takt Pause pro hundert Takte haben. Und oft auch noch acht Sechzehntel pro Takt. Oder sechzehn Vierundsechzigstel. Wir kriegen alle Burnout und Sehnenscheidenentzündung. Und dort hinten sitzt dieser Faulenzer und spielt sein Es-Kontraphon. Oder spielt es eher nicht. Könnte genauso gut daheim sitzen und Stütze kassieren.

Wie mich diese neue Bratschistin in der Kantine angesehen hat! Ich zeig ihr, wie die Kaffeemaschine funktioniert, damit sie sich nicht den Latte macchiato auf die Schuhe kippt. »Das ist aber nett von ihnen«, sagt sie. »Keine Ursache. Sie sollen sich hier ja ganz wie zu Hause fühlen. Oh – Walter Wendell, Es-Kontraphon ...« Wusch! Macht auf dem Absatz kehrt – zurück zu den anderen Bratschen! Soll sie doch mal versuchen, dieses Ding hier zu spielen, wenn sie denkt, das macht man mit links.

Dann wüsste sie, was Burnout ist. Panikattacken würd sie kriegen. Ihre Invalidenrente einreichen.

Oh nein – schon wieder Fred! Aber der kommt doch erst bei Takt 713! Da sind wir noch gar nicht! Können wir nicht sein! Oder doch ...? Was machen denn die anderen ...? Tote Hose bei den Posaunen. Kein Muckser von den Oboen ...

Und was passiert oben ...? Er erwürgt sie ... Lieber Himmel, das ist um Takt 1300 herum ...!

Halt ... Ist das überhaupt die Oper, wo er sie erwürgt ...? Wo ist bloß das Titelblatt ...?

Oh, nein, es ist diese andere. Irgendwelche komischen Verwicklungen im Wald. Mondlicht. Sich verlieben und was nicht noch ... Alles schön und gut. Aber denken die Ganoven dort oben je an uns hier unten? Pustekuchen! Schnurzpiep sind wir ihnen. Wir haben auch unsere Gefühle, klar?! Versuchen, freundlich zu sein. Sie lässt uns stehen. Wir werden verbittert. Gehen raus auf die Straße und bringen jemand um.

Wahrscheinlich Fred. Rammen ihm sein Flügelhorn in den Hals. Ich hasse Flügelhörner. Ich hasse Fred.

Die Leute sagen: »Wenn es Ihnen so auf den Geist geht, dort zu sitzen, warum gehen Sie nicht zwischendurch was trinken? Kommen einfach ein paar Takte vor Ihrem

Einsatz zurück. Das machen George und Jack für ihre Fitzelchen an der Triangel und der Windmaschine doch auch?« Aber so bin ich schlicht und einfach nicht erzogen worden! Wenn mein Vater zwanzig Jahre lang vor den Bildern der Überwachungskameras einer Konservendosenfabrik sitzen konnte, kann ich mir auch ein oder zwei Stündchen lang ansehen, wie Fred an seinen Wasserwerken herumfummelt.

Und wieder Fred – 911 … 912 … Als Pilot verdienst du dich mit so was dumm und dämlich. Du sitzt da, gelangweilt bis zum Überdruss, und deine ganze Arbeit macht ein Computer. Bis es auf einmal Feuer und Rauch gibt, du vom Himmel fällst und nicht mehr weißt, wo du bist, nur dass es plötzlich alles *deine* Schuld ist.

Man fragt mich: »Wo ist das Problem? Sie sehen doch den Dirigenten, oder?« Ja, den sehe ich sehr wohl. Nur ist er an die hundert Meter entfernt! Dann heißt es: »Und er schaut Sie an, wenn es endlich so weit ist? Gibt Ihnen ein Zeichen!« Allerdings. Einen halben Takt vor dem Einsatz! Haben Sie je versucht, ein Kontraphon aus dem Stand hochzuhieven? Das Teil ist so schwer wie ein Rasenmäher! Wenn du nicht aufpasst, hebst du dir damit einen Bruch! Und du musst durchatmen, musst die Lippen schürzen. Wenn er dich dann anschaut …

Lieber Gott! Er schaut mich an ...! Schnell, das Kontraphon ...! Ah, mein armes Kreuz – schon wieder gezerrt ...!
Jetzt, atmen! Lippen ...! Mist – welche Note spiel ich
noch mal ...? Ach so, klar ...

Geschafft! Gerade noch!

Bin ich gut oder bin ich gut?

Und nur noch 1271 Takte, bevor ich wieder dran bin.

# Soufflieren

*Ein Café. Zwei Tische. Am einen Tisch:* MR. *und* MRS. HAZEY.
*Am anderen Tisch:* MR. *und* MRS. SHARPE.

MRS. HAZEY (zu MR. HAZEY): ... Jedenfalls, gestern läuft sie mir im Supermarkt über den Weg, und ich sage: »Lange nicht gesehen«, und sie antwortet: »Ja, wir waren weg, und Sie werden nicht glauben, wo.« Also frage ich: »Doch nicht in Spanien?« Da fahren sie nämlich immer hin, und sie sagt: »Nein – Marrakasch!« Ich frage: »Marrakasch? Diese Stadt in der Wüste?« Und sie hört gar nicht mehr damit auf. Marrakasch dies und

MRS. SHARPE (zu MR. SHARPE): ... Oh, und auf dem Weg zum Lesezirkel habe ich Hilary getroffen. Sie waren in Montenegro wandern, wo alles noch *völlig* unverbaut ist. Dort entdeckten sie einen verfallenen Schafstall, mit der traumhaftesten Aussicht, haben sich total darin verliebt und ihn umgehend spottbillig gekauft ...

*Sie hält inne, weil sie etwas gehört hat, das ihre Aufmerksamkeit erregt.*

Marrakasch das. »Sie
müssen unbedingt nach
Marrakasch fahren! Sie
werden begeistert sein!«

MRS. S. (zu MR. S., aber
eigentlich zum Mithören):
Marrakesch.

MRS. H.: Als ob noch nie
jemand etwas von Marra-
kasch gehört hätte.

Marrakesch.

MR. S. runzelt peinlich berührt die Stirn.

Was?

Mr. H.: Was?

MRS. H.: Ich dachte, du
hättest etwas gesagt.

MR. H.: Ja?

MRS. S.: Jedenfalls, es
liegt ganz in der Nähe der
Grenze zu Bosnien-Herze-
gowina, deshalb kann
man entweder nach Ptsk

oder nach Sibenik
fliegen ...

MRS. H.: Marrakasch!
Ich sage ihr: »Für mich
klingt das nicht wirklich
gut – Marrakasch.«

MRS. S. *erstarrt wieder.*
Vielleicht klingt Marra-
kesch ja besser.

MR. S.: Pst! Die hören
dich!

MR. H.: Dann fahren wir
also nicht nach Marra-
kasch?

MRS. S.: Nein! Sie fahren
nicht nach Marrakasch! Es
gibt kein Marrakasch!

MR. S. (*schnell*): Und wo
wollen Justin und Lucinda
dieses Jahr hin?

MRS. S.: Keine Ahnung,
aber Marrakesch wird es

nicht sein. Und Marrakasch ganz bestimmt nicht. Die denken mehr an so etwas wie ...

MRS. H.: Lanzarottel. Warum nicht Lanzarottel? Oder Terreniffa?

MRS. S. *schafft es, nichts zu sagen.*

MR. H.: Mir würde dieses andere ganz gut gefallen.

MRS. H.: Was für ein anderes?

MR. H.: Dieses andere M- irgendwas.

Madeira.

Nicht Madeira. Du weißt es doch. Wo Arthur und Wie-heißt-sie-noch hingefahren sind.

Mauritius. Martinique.

MRS. H.: Was – Arthur und Annie? Meinst du Magadaskar?

*MR. S. fleht MRS. S. stumm an, nichts zu sagen.*

MR. H.: Magadaskar. Ich meine Magadaskar.

MRS. S.: (*laut*): Nein! Sie meinen ...

*MR. S. hält MRS. S. den Mund zu.*

*MRS. H. schaut herüber.*

*MR. S. zieht schnell seine Hand zurück.*

*MRS. H. dreht sich wieder zu MR. H.*

MRS. H.: Es war nicht Magadaskar. Da waren doch Laurie und Lou!

MR. H.: Nein, waren sie nicht. Es waren Arthur und ... du weißt schon ...

(*willkürlich*) Edie.

MRS. H.: Es waren Laurie und Lou!

MR. H.: Es waren Arthur
und ...!

                                        Edie!

MRS. H.: Arthur und Edie?
Wer sind Arthur und Edie?
Du meinst nicht Arthur
und Edie. Du meinst Eddie
und ... wie heißt sie ...?
Eddie und ...

                            (willkürlich) Ida.

Eddie und Ida.


MR. H.: Wer sind Eddie
und Ida?


MRS. H.: Weiß *ich* doch
nicht! Du meinst *Freddie*.
Freddie und ...

                                        Frieda.

Freddie und Frieda.


MR. H.: Freddie und
*Frieda*? Die Hälfte der
Leute, von denen du da
erzählst, kenne ich gar
nicht!

Freddie und Flora.

MRS. H.: Freddie und Phyllis.

(zustimmend) Freddie und Phyllis.

Nur waren Freddie und Phyllis nicht in Magadaskar. Sie waren in Holonunu.

MRS. S. *entfährt ein unterdrückter Schrei.*

MRS. H. (zu MRS. S.): Ist alles in Ordnung?

MRS. S. *hustet und nickt.*

MR. S.: Sie hat sich verschluckt.

MRS. H. (zu MR. H.): Aber es hat ihnen nicht gefallen.

MR. H.: Was hat ihnen nicht gefallen?

MRS. H.: Holonunu. Sie mochten diese ganzen Giesha-Giesha-Mädchen nicht.

MR. H.: Was für Giesha-
Giesha-Mädchen?

> MRS. S.: Sie meinen Hula-
> Hula-Mädchen.

MRS. H.: Ich meine nicht
Giesha-Giesha-Mädchen.

Ich verwechsle es mit
Haititi.

MR. H.: Haititi?

MRS. H.: Wo sie sich
die Nasen aneinanderrei-
ben.

Da, wo dieser Maler sich
das Ohr abgeschnitten
hat.

> MRS. S. *unterdrückt einen
> Schrei.*

(*ruhig*) Schau dich nicht
um. Sie haben ein kleines
Flickflack.

> MRS. S.: Hickhack!

> MR. S.: Okay. Das reicht.

*Er schiebt sie nach draußen.*

Jedenfalls, mich kriegst du
eh nicht nach Holonunu.
Da fahr ich eher noch nach
Marrakesch.

MRS. S. (*schreit im Abgehen*): Marrakasch!
Marrakasch! Marrakasch!

# Klar

Lassen Sie mich in einem Punkt absolut klar sein.

Das ist natürlich die Standardeinleitung heutiger Politiker jedweder Couleur. Und wenn sie von Ihnen nicht verlangen, so klar sein zu dürfen, wie sie nur wollen, erzählen sie Ihnen, ihre eigene Unbescholtenheit sei so klar wie die sprichwörtliche Kloßbrühe, ob Ihnen das passt oder nicht. Und das war selbstverständlich schon *immer* so.

Aber was sie mit absolut klar meinen, ist leider nicht unbedingt absolut klar. Also lassen Sie mich klarstellen, was *ich* damit meine.

Bevor wir fortfahren, stelle ich besser klar, dass ich keineswegs nur in einem Punkt absolut klar sein will. Das wäre eine Untertreibung. Es gibt unendlich viele solcher Punkte. Das Problem ist nur Folgendes: Da ich so absolut klar in Bezug auf sie bin und ein durchsichtiges Ding ziemlich genau wie ein anderes durchsichtiges Ding aussieht, sind sie schwer auseinanderzuhalten.

Deshalb also ein absolut klarer Punkt nach dem anderen. Das Erste, über das ich absolut klar sein will, ist, was ich nicht mit absolut klar meine.

Ich meine nicht klar wie die Glastür, die Sie nicht sehen, voll dagegenrennen und sich eine blutige Nase holen;

oder klar wie die Sicht voraus nachts auf der Straße, wegen der Sie aufs Gaspedal treten und so schnell fahren, dass Sie Polizeiautos und Radarfallen nicht bemerken und Ihre Frau überreden müssen, die Punkte dafür zu kassieren, woraufhin alles andere immer weniger klar wird;

oder klar wie Ihr Gewissen, nachdem Sie das erfolgreich hingekriegt und danach komplett vergessen haben;

oder klar wie der Kleiderschrank, nachdem Sie alles ausgeräumt haben, das Sie wahnwitzigerweise einmal für modisch hielten, zusammen mit einigen anderen Dingen, die Sie eigentlich weiter anziehen wollten, aber versehentlich dazugeschmissen haben;

oder klar wie das Schiffsdeck, nachdem Ihre ganzen Prinzipien und weitere Frachtgegenstände weggeschwemmt oder über Bord geworfen wurden;

oder klar wie der Himmel, aus dem der Blitz kam.

Nein, wenn ich sage, ich sei absolut klar in Bezug auf

etwas, dann meine ich damit, ich bin so klar wie eine leere Glasflasche. Natürlich nicht wie eine braune oder grüne Flasche mit dem Bodensatz von gestern Abend oder ein paar toten Spinnen drin. Sagen wir, eine leere Wodkaflasche. Damit Sie sehen können, dass sie tatsächlich leer ist. Wenn Sie mit einer ganzen Flasche Wodka intus überhaupt noch etwas sehen können. Oder es handelt sich um eine andere Flasche, die immer noch voll mit Wodka ist ... es sei denn, jemand hat ihn getrunken und Wasser nachgefüllt ...

oder das Zeug, das Sie gekauft haben, um damit die Rosen zu besprühen und die Blattläuse zu vernichten.

Aller Wahrscheinlichkeit nach ist aber rein gar nichts drin, wie in all den anderen leeren Wodkaflaschen im Altglascontainer. Deshalb ist es ja auch so absolut klar. Weil nichts klarer als nichts sein kann!

Eigentlich bin ich in diesem Punkt sogar klarer als eine leere Flasche. So klar wie die blankgeputzte Verglasung des Teleprompters, von dem ich diese Worte ablese, die so klar ist, dass Sie sie von Ihrem Platz aus nicht sehen können und daher denken, ich denke tatsächlich, was ich sage. Und was mir von meinem Standpunkt aus völlig klarmacht, wie unklar Sie sind. Sogar völlig unsichtbar. Deshalb bin ich ja auch hier oben und Sie dort unten.

Lassen Sie mich in diesem Punkt absolut klar sein, wenn schon über nichts anderes.

# Wie geht es mir, Herr Doktor?

Ich fühle mich fürchterlich, Herr Doktor!

Ich meine nicht, krank – krank bin ich *nicht* –, ich fühle mich gut. Deshalb fühle ich mich ja so fürchterlich! Ich fühle mich fürchterlich, weil ich Sie behellige, wo ich doch gar nicht krank bin.

Ich *fühlte* mich krank. Mir ging's fürchterlich. Ich hatte so ein ... *Gefühl*. Nicht dieses *Gefühl*, sich fürchterlich zu fühlen, Sie zu behelligen ... Ich meine ein körperliches Gefühl. Es war *hier* ... Nein, warten Sie – mehr zum Rücken hin auf dieser Seite ... Oder war es auf der anderen Seite ...?

Ich rede nicht von Schmerzen. Schmerzen hatte ich keine. Es war so eine Art ... *Gefühl*. Ein komisches Gefühl. Ich kann es nicht genau beschreiben. Es war kein brennendes Gefühl, kein Kribbeln oder Jucken und auch kein Krampf ... Ich fühlte mich nicht krank, verspannt, fiebrig, grippig oder erkältet ...

So richtig genau kann ich mich nicht mehr daran erinnern. Aber ich weiß, *so* war es bestimmt nicht. Es war nur dieses ... komische Gefühl.

Deshalb habe ich mir ein bisschen *Sorgen* gemacht. Na ja ... nicht direkt *Sorgen*. Es war nicht die Art Gefühl, wo man das Gefühl hat, sich *Sorgen* machen zu müssen.

Ich machte mir nur Sorgen für den Fall, dass ich mir Sorgen machen *müsste*. Dass ich zu Ihnen käme und herausfinden würde, es bestünde *kein* Grund zur Sorge – oder dass ich nicht käme und dann herausfinden würde, es *bestünde* Grund zur Sorge bei etwas, wegen dem ich gar nicht zu Ihnen kam, weil ich mir Sorgen machte, zu Ihnen zu kommen und dann herauszufinden, es sei etwas, wegen dem ich mir keine Sorgen machen *muss*.

Ich verstehe völlig, wie Sie sich fühlen müssen, dass ich Ihnen hier die Zeit stehle, indem ich Ihnen von diesem komischen Gefühl erzähle, wenn ich dieses komische Gefühl gar nicht näher definieren kann. Nicht zu wissen, was *ich* fühle, heißt noch lange nicht, dass ich nicht weiß, was *Sie* fühlen!

Und mir ist völlig klar, wie Sie sich fühlen müssen, dass ich Ihnen noch mehr Zeit stehle, indem ich Ihnen erzähle, wie fürchterlich ich mich fühle, weil ich Ihnen die Zeit stehle. Vor allem, wenn ich wie jetzt endlos darauf herumreite und Ihnen erzähle, wie fürchterlich ich mich fühle, Ihnen noch mehr Zeit zu stehlen, indem ich Ihnen erzähle, wie fürchterlich ich mich fühle, weil ich Ihnen erzähle, wie fürchterlich ich mich fühle, Ihnen die Zeit zu stehlen ... indem ich Ihnen erzähle, wie fürchterlich ich mich fühle ... weil ich Ihnen die Zeit stehle ...

Ich *erzähle* Ihnen, wie Sie sich fühlen, falls Sie das nicht wissen sollten. Etwas benommen. Ja? Verwirrt. Überfordert. Leicht übel ...

Vage besorgt, Sie könnten den falschen Beruf ergriffen haben. Dass Sie anderer Leute Gefühle nicht verstehen. Dass Sie nicht einmal wissen, was Sie selbst fühlen, bis es Ihnen jemand erzählt.

Völlig mit den Nerven fertig. Einen Arzt brauchend ...

Vorzeitig gealtert. Den Feierabend herbeisehnend. Die Rente. Den Tod ...

Ich weiß, ich weiß, Herr Doktor, Sie fühlen sich fürchterlich. Und natürlich fühlen Sie sich fürchterlich, dass Sie sich fürchterlich fühlen, weil jemand anderer sich selbst fürchterlich fühlt. Jemand, der sich fürchterlich fühlt, dass er sich fürchterlich fühlt. Der sich fürchterlich fühlt, weil er *Sie* dazu bringt, sich fürchterlich zu fühlen ...

Nehmen Sie diese Tabletten drei Mal pro Tag, Herr Doktor. Und wenn Sie sich in ein paar Tagen nicht besser fühlen, komme ich wieder bei Ihnen vorbei. Mit etwas Glück haben Sie dann völlig vergessen, was das Problem war.

# Auf den Punkt

Liebling, du weißt, wie sehr ich es schätze, wie du mir immer ... na ja ...

... hilfst, ja, aber ich bitte dich, Liebling – ich helf dir doch gern.

... immer hilfst, vor allem, wenn ich etwas sage und ich ... du weißt schon ...

... zögere.

... zögere, einen ...

... Moment ...

... einen Moment, ja, und sofort ...

Normalerweise ist es nur der Bruchteil einer Sekunde, Liebling.

Genau. Und sofort versuchst du freundlicherweise ...

... den Satz für dich zu beenden.

... den Satz für mich zu beenden. Weil du so viel ...

Ich bin nicht intelligenter als du, Liebling!

... nicht nur intelligenter, sondern weil du so viel schneller ...

Ich denke schneller, das stimmt.

... denkst. Und du weißt, wie ... na ja ... weißt, wie ...

... man Sätze beendet.

... wie ...

... man perfekt Italienisch spricht? Apfelstrudel backt?

... wie dankbar ich dir bin. Du machst das so gut, weil du immer weißt ...

... was du sagen wirst.

... normalerweise weißt, was ich sagen werde. Und weil, na ja, weil es einfach ...

... so viel Zeit spart.

... so viel Zeit. Jedenfalls würde es das ...

... wenn du nicht weiterreden und es noch einmal sagen würdest.

... wenn ich nicht ... Genau!

Was schade ist, Liebling, weil wir mit der gesparten Zeit etwas anderes anfangen könnten, und da du das Thema schon einmal angesprochen hast, es ist mir nicht verborgen geblieben, dass du manchmal, wenn du weiterredest und den Satz beendest, den ich bereits für dich beendet habe, dann klingst du irgendwie ganz leicht genervt.

Nein, nein, es ist nur, dass ich das Gefühl habe, ich würde gerne ausnahmsweise auch einmal ... na ja ... auch einmal ...

... einen Satz selbst zu Ende bringen ...

... einen Satz selbst zu Ende bringen. Nur, um zu sehen, wie das ... na ja ... wie das, also wie das ...

... so wäre.

Ja, und dann gibt es auch Anlässe, wo du ...

... es falsch verstehst. Natürlich.

... es falsch verstehst, und du mich ...

... Dinge sagen lässt, die du gar nicht sagen *wolltest*, das stimmt, und es tut mir leid, aber manchmal liege ich auch richtig, und du *wolltest* sie sagen und änderst nur deine Meinung, weil ich sie schon für dich ausgesprochen habe.

Schon möglich, nur, wenn ich sage, was ich sagen will ...

... ist das Gespräch längst woanders.

... woanders, und du bekommst nicht mit, was ich *eigentlich* sage, und denkst also weiter, ich hätte gesagt ...

... was du *meiner* Meinung nach sagen wolltest, ich weiß, Liebling, nur, wenn du das, von dem ich dachte, dass du es sagen würdest, auch sagen *wolltest*, es aber nur nicht gesagt *hast*, weil ich es schon für dich gesagt habe, dann *denke* ich weiter, du hättest gesagt, was du sagen *wolltest*, wenn ich es nicht für dich gesagt hätte, und es entspricht stärker deinen Absichten, wenn ich das weiter so denke, und überhaupt, eins kannst du mir glauben, es macht mir keinen *Spaß*, die Sätze für dich zu beenden – ich tu's nur, weil ...

... weil wir sonst bis Mitternacht hier wären, bevor ich auch nur diesen Satz beendet hätte – und an dieser Stelle könntest du übrigens bemerken, dass ich manchmal Sätze ganz schnell beenden *kann* ...

... wenn es nicht die eigenen sind.

... wenn es nicht die eigenen sind.

Wobei mir auffällt, dass du nie die Sätze von anderen Leuten beendest, nur meine.

Nur deine, gut möglich – aber wenn das so ist, dann, weil ich immer weiß … *ich* immer weiß …

… du immer *denkst*, du weißt …

… was du sagen wirst …

… was ich sagen werde, nur stimmt das zufälligerweise *nicht*.

Probieren wir's doch aus. Ich weiß haargenau … Ich weiß exakt …

… was ich als Nächstes sagen werde.

»… was ich als Nächstes sagen werde.« Du hast es gesagt. Exakt. Haargenau.

Eines Tages, weißt du, Liebling, werd ich dich …

… erwürgen. Ja, es sei denn, ich bin schneller und …

… du erwürgst *mich*? Ist es das, was du sagen willst? Du würdest *mich* erwürgen?

Das dürfte nicht nötig sein, Liebling, wenn ich nämlich *versuchen* würde, dich zu erwürgen, würdest du mich wie üblich unterbrechen und …

… mich vielleicht *selbst* erwürgen?

... dich selbst erwürgen – oder es wie so oft falsch verstehen und irgendeinen x-beliebigen armen Kerl erwürgen. Wie auch immer, es wäre jedenfalls ...

... deine Schuld. Klar doch, was denn *sonst*?

Natürlich, und ich würde ...

... du würdest dich aufregen wie immer.

... fünfzehn Jahre kriegen. Und die könnte ich dann wenigstens ohne Unterbrechung absitzen.

# Straßenszene

Was verdammt noch mal ist hier denn los? Was glaubt ihr erbärmlicher Sauhaufen zu veranstalten?

Sie – ja, mit Ihnen rede ich! Und mit Ihnen! Ihnen allen!

Eine Straßenszene nennen Sie das? Ein Witz ist es!

Mein Gott, ich verbringe den ganzen Tag in der Gluthitze eines Probenraums und versuche die Straßenszene für unsere große Produktionsnummer so echt wie nur möglich zu inszenieren, und dann komme ich hier auf eine echte Straße raus und was sehe ich? Etwa eine Straßenszene? Pustekuchen! Einen einzigen Murks sehe ich! Ein riesiges, ödes, desorganisiertes Kuddelmuddel, das ganz und gar nicht wie eine richtige Straßenszene wirkt!

So geht das nicht! Das ist eine totale öffentliche Schande! Als betroffener Bürger stelle ich daher meine Arbeitskraft kostenlos zur Verfügung. Deshalb stehe ich hier auf dem Dach dieses geparkten Autos und schreie Sie an!

Okay, die Handys aus! Also, wo fangen wir an?

Ihr da drüben an der Bushaltestelle! MANN MIT LANG-WEILIGEN BRAUNEN HAAREN, ALTER MANN AUF KRÜCKEN, FRAU MIT HYPERMOTORISCHEM KIND und der GANZE REST! Sie machen *gar nichts*! Sie stehen einfach in einer geraden Linie da ...!

Sie warten auf den Bus? Na, dann *zeigen* Sie uns das auch! MANN MIT LANGWEILIGEN BRAUNEN HAAREN schaut auf seine Uhr. Dreht sich zu FRAU MIT HYPERMOTORI-SCHEM KIND und macht eine amüsiert-ungeduldige Geste. HYPERMOTORISCHES KIND zupft am Mantel der FRAU. FRAU verpasst HYPERMOTORISCHEM KIND eine Ohrfeige. PFARRER beugt sich vor und tröstet HY-PERMOTORISCHES KIND. HYPERMOTORISCHES KIND verpasst PFARRER eine Ohrfeige.

Kein PFARRER da? Gina ...! Wo ist meine Assistentin Gina ...? Ach, da bist du ... Also, Gina, kein PFARRER! Hol die Kostümabteilung. Sag ihnen, sie sollen MANN MIT OBSZÖNEM T-SHIRT-AUFDRUCK ein Kollar ge-ben ...

Und, Gina, stell den Autolärm ab, ja? Ich hör die Musik nicht ... Klar gibt's Musik! Es gibt immer Musik!

Ihr beiden da am Briefkasten – ihr verdeckt Leute! GROS-SER MANN – werden Sie kleiner! ÜBERGEWICHTIGE FRAU – nehmen Sie 20 Kilo ab!

Und Gina – ruf das Besetzungsbüro an. Wir brauchen noch jede Menge Leute, bei denen man auf den ersten Blick weiß, was sie sind. Ein POSTBOTE, ja? EIN SCHORNSTEINFEGER, ein KINDERMÄDCHEN, ein paar PROSTITUIERTE. CLOWNS. ZIRKUSARTISTEN AUF STELZEN ...

SÜSSES KLEINES HÜNDCHEN kommt die Straße entlanggerannt ... Dieses Vieh? Das soll ein SÜSSES KLEINES HÜNDCHEN sein? Ein Pitbull ist es! Färb ihn irgendwie um ...! Ich weiß auch nicht wie – jedenfalls mit der Farbe, die aus Pitbulls SÜSSE KLEINE HÜNDCHEN macht ... So, es hebt sein süßes kleines Beinchen gegen den Laternenpfahl. Dann *verschieb* halt den Laternenpfahl, damit wir ihn alle sehen können ...

KLEINER LAUSEBENGEL ... Wo ist KLEINER LAUSEBENGEL ...? Was, der? Das ist ein minderjähriger Drogendealer! Umfärben, umfärben ... Okay, er klaut einen Apfel vom Stand der DICKEN MARKTFRAU, die sich grad umgedreht hat ... Stand, Stand ...! Das ...? Zugegeben, es ist ein Stand, aber diese Dinge sind keine Äpfel – Porno-DVDs zum Dumpingpreis sind's. Umfärben, umfärben ...

Wo ist JUNGER MANN MIT STROHHUT ...? Gina, gib
PROLL MIT BASEBALLKAPPE einen Strohhut ... Okay,
pfeifen Sie HÜBSCHEM MÄDCHEN nach, das vorbei-
geht. Wo ist HÜBSCHES MÄDCHEN ...? Sie? Sie sind
HÜBSCHES MÄDCHEN? Gott helfe uns.

Was soll's. Weiter geht's. Machen wir das Beste draus.
HÜBSCHES MÄDCHEN tut so, als ob sie nichts bemerkt,
dann – Bestürzung! Sie hat die Tasche mit rotbäckigen,
am Porno-DVD-Stand gekauften Äpfeln verloren! Wo ist
sie bloß? Oh, dem Himmel sei Dank, JUNGER MANN
MIT STROHHUT hat sie gefunden! Er rennt ihr nach!
Blickkontakt! Verschämtes Lächeln. Romantik! Liebe! Er
macht einen kleinen Tanzschritt.

Sie kopiert ihn ... Das choreographieren wir später ...
Die ganze Busschlange schließt sich an ... Die ganze
Straße ...

Aus euch charakterlosen Zombies mach ich charakter-
volle Charaktere, und wenn es meine letzte Tat auf Er-
den ist. Euch leichenstarre Hirntote erwecke ich zum
Leben, dem letzten Soziopathen auf dieser Straße hau-
che ich Charme und Liebenswürdigkeit ein, euch un-
musikalische Apraxiker krieg ich zum Singen und Tanzen!

Und, Gina, wenn wir schon dabei sind, runter mit diesen Fernsehantennen ... Bring ein paar Oldtimer und Droschken bei ... Straßenszenen passieren irgendwann zwischen 1750 und 1945!

Okay, und jetzt alle noch mal von vorne ...

# Rufen Sie einfach durch

Hallo. Das ist eine Nachricht für Schphth Thrgphshnik.
Ich hoffe, ich habe die richtige Nummer!

Ich rufe an wegen dem Ghrthphsqurw-Dings am Donnerstag, dem schlrhththnstn. Schrggthwk Thwvghrvtkdk sagte mir, Sie wissen Bescheid, so dass ich das Ganze nicht mehr buchstabieren muss.

Ich wäre Ihnen sehr dankbar, wenn Sie mich so schnell wie möglich zurückrufen könnten unter – das sage ich jetzt schnell, damit Sie mich früher zurückrufen können: null-zwei-null-acht-eins-zwei-neun-vier-sieben-acht-drei. Ich wiederhole noch schneller, damit Sie mich noch früher zurückrufen können: nullzweinullachteinszweineunviersiebenachtdrei. Oder alternativ, für den Fall, dass Sie zu viel Zeit mit dieser Nummer vergeudeten, weil es sich um eine ganze Menge Ziffern handelt, die Sie fast mitbekommen haben: nullzweinullachsiebendreitphnschnfschnf. Bitte nennen Sie die Buchungsnummer: Total/37Q/zufällige/3339xJZ/ansammlungvon buchstaben&ziffern.

Aber nur werktags zwischen 8.30 und 16.35! Wenn es nämlich zwischen, sagen wir, 16.35 und 22.27 ist oder nach 15.30 am Wochenende, jedenfalls vor dem schtdnstn dieses Monats oder nach dem schnrthn des Folgemonats, dann versuchen Sie besser die nullzweihflglflglschrndltrdleschnckschnck.

Oder Sie erreichen mich auf meinem Handy, dessen Nummer man sich ganz leicht merken kann: nullsiebendreizweihgrglschtrpschtrp ... Nein, warten Sie ... nicht glschtrpschtrp – grglgrflschtrp oder vielmehr schtrpschtrtrgrgle ... Oder hab ich da jetzt irgendwo eine Ziffer vergessen ...?

Oh, für den Fall, dass Sie nicht erraten haben, wer dran ist, es ist Schnthph Schmfgth. Nicht zu verwechseln mit Schmfgth Schnthph! Sie erinnern sich vielleicht an mich und sei es nur wegen meines ungewöhnlichen Namens. Meine Eltern hießen mit Nachnamen Schlrhgh, und sie wollten mich einfach Schwrtrpg nennen, dann hätte ich den absoluten Allerweltsnamen Schwrtrpg Schlrhgh gehabt. Aber gerade, als mein Vater das dem Standesbeamten sagen wollte, gab es eine seltsame elektronische Störung in der Atmosphäre, so dass er wie auf einem Anrufbeantworter klang, und zu Hause bemerkten meine Eltern, dass der Beamte »Schnthph Schmfgth« geschrieben hatte. Oder »Schlrthph Schnrlth« – sie konnten seine Schrift nicht entziffern!

Nur, um das absolut klarzumachen: Ich bin diejenige, die Sie auf dieser Party bei Thrthrsh Phsthphthr kennengelernt haben – den ich wiederum kenne über die »Gesellschaft für Leute mit Namen und Nummern, die niemand am Telefon verstehen kann, oder es stimmt etwas mit Ihrem Anrufbeantworter nicht«.

Rufen Sie einfach durch. So nennen mich eh alle. Und Durch lässt sich sehr viel leichter aussprechen als »Schnthph«.

# Tea für wen?

*Fantasie:*
*Ich auf deinem Knie*
*Mit Tea for two*
　　Und two zum Tea
　　*Nur you und me ...*
　　Und me und du
Juchhu!

　　　　　　　*Keine Abgesandten*
　　　　　　*Von nervigen Verwandten!*
　　　　　　　　Nicht mal dein Brother ...
　　　　　　　　*Bloß meine alte Mother,*
　　　　　　*Lahm, taub und blind*
　　　　　　*Und völlig durch den Wind,*
　　　　　　*Ignorier sie geschwind.*

　　Okay, Tea for three
　　Und three zum Tea
　　Kein ganzes Heer.
　　Nur three, ich bitte sehr,
　　Kein Saubär mehr

Kommt hierher!
Aber ...

        ... Der arme Sigmund?
          Sigmund, na und?
          Ist auf dem Hund,
        Mit gutem Grund,
        Durch die Schlampe Silvie.
        Eine Tasse Tea,
        Und er sagt: Sieh,
        Ihr vergesst mich nie.

Das ist schon Tea for four,
Von wegen keiner more,
Und mehr als three
Nehmen wir nie.
   Ist nur for me:
Eine Tasse more!
Und kommt nicht wieder vor ...

        Allein mit Sigmund
        Ist's nicht rund –
        Mit Silvie, der Schlampe, zeig Erbarmen,
        Frag sie nach Sigmund, dem armen.
        Es sind bloß four,
        Und dann four more –
        Durch unsere Door!

79

Also eight zum Kuchen
Und Kuchen for eight,
Pötte Marmelade suchen,
Dabei nicht fluchen,
Und wir können dienen
Mit Brötchen und Rosinen ...
Fleißig wie die Bienen!

Doch halt: der Sigmund
Auf dem Hund
Und Silvie, die ungetreue,
Haben doch Partner neue.
Ich geh und back dazu
Noch einen Kuchen im Nu
Oder auch two.

Also zwei Mal five,
Ich glaub, ich pfeif.
Macht Tea für ten
Und ten zum Tea.
Welch Fantasie
Auf meinem Knie!
Ich armes Vieh!

Und dann gibt's noch die Skinners –
Da hatten wir viele Dinners –
Die Frings, die Kruses,
Die Dings, die Vonundzuses!

Die müssen einfach
Unter unser Dach
Mit Ach und Krach!

Jetzt sind's eher –
Vierundzwanzig!
Nein – zweiunddreißig!
Oder einundvierzig!
Ist sehr schwer
Zu rechnen verquer
Mit so viel mehr.

Es fängt an mit two
Und schon hast du
Mehrmals two
Und zig-mal two
Solch Zahlen, huh!
Deshalb die Tür zu,
Den Riegel vor,
Und keiner more!

Die Klingel again!
Noch mal ten
Wir sitzen in der Falle!
Na dann: feel free!
's gibt Tea für alle ...
Und alle zum Tea!
So viel wie nie!

*Ich kauf eine neue Teakanne.*
*Eine Dreiundvierziger-Teakanne ...*
    Und ich nehm einen Teabeutel
    Einen Tea-nur-for-me-Beutel!
    *Tea im Revier hier,*
*Nur du, kein wir,*
*My Dear?*

    Welch Fantasie:
Kein you, kein we.
Auf meinem Knie
Eine Tasse Tea.
Nur Tea for me
Und ich zum Tea –
Yippieh!

# Außenreportage

Wenn also das Projekt, preisgünstige Wochenendhäuser auf dem Gut zu errichten, von der lokalen Planungsbehörde genehmigt wird, wäre der Kirschgarten vor dem Abholzen gerettet. Mehr dazu später. Jetzt aber zurück zum heutigen Hauptthema und unserem Sonderkorrespondenten Richard Roving live vor dem National Theatre. Wie ist denn dort die aktuelle Lage, Richard?

Also vor Ort haben wir einen richtig schönen Abend, George, mit einer leichten Brise vom Fluss herüber. Doch drinnen herrscht große Anspannung. Die gute Nachricht lautet, dass sie alle noch da sind und miteinander reden. Wie ich höre, ging es verbal schwer zur Sache – Hamlet selbst hat anscheinend kein Blatt vor den Mund genommen. Der Abend zieht sich bereits ziemlich hin – so ist hier die Einschätzung – und er ist noch lange nicht zu Ende.

Irgendwelche konkreten Ereignisse seit unserer letzten Schaltung?

Ja, George, im letzten Akt kam es zu einer Art Showdown, so muss man es wohl ausdrücken, zwischen Hamlet und der Königin. Was genau gesagt wurde, wissen wir nicht – bisher wollte sich hier draußen noch keiner näher dazu äußern – aber es scheint ein offen geführter Austausch über ihre Differenzen gewesen sein. Wir hoffen natürlich, dass das die Luft ein wenig gereinigt hat.

Richard, wir erhalten im Studio Meldungen über eine Messerattacke auf einen der Berater der Königin. Wissen Sie etwas darüber?

Es hat offensichtlich durchaus einen derartigen Vorfall gegeben, nach meinen Informationen war er aber eher harmlos. Wir hören natürlich immer wieder Gruselgeschichten – wenn man nicht gerade Leute ersticht, werden sie vergiftet oder in Weinfässern ertränkt. Vorhin machte sogar ein Gerücht die Runde, jemand habe einen Geist gesehen! Also immer schön die Kirche im Dorf lassen.

Irgendwelche Anzeichen für eine Verbesserung im Verhältnis zwischen Hamlet und dem König?

Das ist noch viel zu früh zu sagen, George, aber ich habe mit jemandem gesprochen, der in der letzten halben Stunde drinnen im Theater war, und er berichtete von Plänen am Hof für eine Familienfeier,

85

was nur ein positives Zeichen sein kann. Es soll dabei auch zu einer privaten Theatervorstellung kommen.

Keinerlei Befürchtungen, der König könne eine härtere Linie fahren?

Also das denke ich eher nicht, George.

Zuletzt kursierten da ja einige ziemlich wüste und unerquickliche Unterstellungen.

Ja, aber hier herrscht eine große Entschlossenheit, den Friedensprozess nicht zu gefährden, und die meisten Leute, mit denen ich sprechen konnte, waren absolut optimistisch.

Und keiner hat dabei eine Art *Déjà vu*-Gefühl?

Doch, George, einige Veteranen vertraten schon die Ansicht: »Diese ganze Geschichte kommt uns nur allzu bekannt vor, und wenn wir nicht aus den Fehlern der Vergangenheit lernen, fahren wir den Karren vielleicht völlig gegen die Wand.«

Die nächsten Stunden könnten also entscheidend sein?

In der Tat, George, aber der König holte als eindeutige Versöhnungsgeste bereits zwei jüngere Männer in sein Team, die als gute Bekannte Hamlets gelten. Es könnte auch eine Rolle spielen, dass der Prinz einen Staatsbesuch in England machen wird, was die Situation weiter entschärfen dürfte.

Wie kommt der Prinz mit dem ganzen Druck klar?

Den merkt man ihm natürlich an. Er hat in den letzten ein bis zwei Stunden einige größere Ansprachen gehalten, doch ihre Wirkung lässt sich noch nicht beurteilen.

Ist das der Prinz, den wir da hinter Ihnen sehen?

Nein, das ist ein Penner, der von Sicherheitsleuten aus dem Theater geworfen wird. Wenn Sie schon früher zugeschaltet gewesen wären, hätten Sie ein reges Kommen und Gehen hinter mir beobachten können. Jede Menge Alkohol wurde konsumiert. Zahlreiche Toilettenbesuche erfolgten. Aber in den letzten Minuten ist alles ein wenig ruhiger geworden.

Sie haben also das Gefühl, die Zeichen stehen auf Entspannung?

Ich bin ziemlich zuversichtlich, George, solange sie miteinander im Gespräch bleiben. Das geht nun schon fast zwei Stunden so, und je länger sie es fortsetzen, desto höher die Wahrscheinlichkeit, dass das Ganze mit einem öffentlichen Händeschütteln und einem gemeinsamen Kommuniqué endet.

Aber wenn es doch zum Abbruch der Verhandlungen kommt ...?

Dann ist natürlich alles wieder total offen, und die Konsequenzen sind unabsehbar. Eine deutliche Verschlechterung der Beziehungen könnte die Folge sein. Eventuell kommt es sogar zu einer völligen Funkstille zwischen dem König und dem Prinzen.

Mit einer gewalttätigen Auseinandersetzung rechnen Sie nicht?

Also, das wollen wir ja nun wirklich nicht hoffen! Es liegt im Interesse aller Beteiligten, die Ruhe zu bewahren und sich vernünftig zu verhalten. Wahrscheinlich spannen sie uns bis zum letztmöglichen Moment auf die Folter, doch gewettet wird hier auf das baldige Läuten der Hochzeitsglocken.

Vielen Dank, Richard Roving. Jetzt zu den übrigen Nachrichten. Heute Abend kam es zu einem Großbrand in der Walhalla, dem Zuhause einiger der bekanntesten Götter der Welt. Die lokale Feuerwehr teilt mit, sie habe inzwischen alles unter Kontrolle. Und in Spanien hatte ein betuchter Playboy die ungewöhnliche Idee, eine Statue zum Abendessen einzuladen! Die Statue erschien auch tatsächlich und genoss allen Berichten zufolge ihren kleinen Ausflug. Das ist alles für den Moment. Ihnen ein schönes Wochenende.

# Herr des Handys

Das ist also die Botschaft, die ich Ihnen allen im Publikum heute vermitteln möchte: Technologie ist entscheidend für uns. Kommunikationsmittel sind überlebenswichtig. Wir brauchen das Knowhow dafür, das Beste aus ihnen herauszuholen. Lassen Sie uns sicherstellen, dass wir nie zu Sklaven unserer Geräte werden. Dass wir die Kommandeure unserer Computer bleiben. Die Leutnants unserer Laptops. Die Herren unserer Handys ...

Und sofort klingelt natürlich eins ...

Genau! Wer auch immer der Schuldige ist, vielen Dank für diese schlagende und perfekt getimte Demonstration der Gefahren, vor denen ich warne! Wenn wir sie nicht unter Kontrolle halten, übernehmen die Geräte unser Leben. Statt uns kommunizieren zu helfen, machen diese wunderbaren Dinger dann jegliche Kommunikation unmöglich ...

Haargenau wie dieses wildgewordene Handy jetzt ...

Jedenfalls, um wen auch immer es sich handelt, wir haben's inzwischen kapiert ... Darüber gelacht und unsere Lektion gelernt ... Wenn Sie es also freundlicherweise abschalten würden ... Geben Sie's ruhig zu, ist kein Problem und uns allen schon passiert ... Ich warte ...

Sie müssen doch wissen, ob es Ihr Telefon ist oder nicht ...!

Nein? Okay. Könnten dann bitte alle ihr Handy checken ...? Holen Sie es einfach aus Ihrer Jackett- oder Handtasche, genau so, und ...

Oh. Meins.

Entschuldigen Sie vielmals. Wie peinlich. Aber das belegt mein Argument nur umso überzeugender. Ich habe es nicht nur geschafft, eine wichtige Rede zu unterbrechen, sondern lasse auch einen ansonsten völlig kompetenten Politiker wie einen Volltrottel aussehen ... Hätte man mir in der Schule bloß Theorie und Praxis der angemessenen Handybenutzung beigebracht ...!

Jedenfalls habe ich es jetzt ausgeschaltet. Wunderbar. Wo waren wir ...?

Es war meine Frau, wenn Sie's genau wissen wollen ... Hätte auch etwas Unterricht gebrauchen können ...! Ich habe ihr nämlich erzählt, dass ich heute Abend diese Rede halte ... Am Frühstückstisch, nicht am Telefon! Die Kommunikation zwischen Mann und Frau ist natürlich extrem anfällig, selbst unter vier Augen und ohne jegliche Elektronik ...

Es sei denn, es handelt sich um einen Notfall ...

Was soll's, weiter geht's. Also, ja, die Herren unserer Handys, die Meister unserer Mails ...

Nur, wenn es so dringend ist ... Vielleicht ruf ich besser kurz ... Tut mir leid. Würden Sie mich einen Augenblick entschuldigen ...? Dauert nur eine Sekunde ... Ich will bloß sichergehen. Es argumentiert sich besser, wenn man den Kopf frei hat ...

*Liebling, ja, ich bin's – aber ich stecke eigentlich mitten in einer Rede. Stehe hier vor Publikum auf einem Podium! Wenn es also kein absoluter Notfall ist, kann ich dich dann vielleicht später ...*

*Die Waschmaschine ...? Du hast was ...? Oh, nein! Du solltest doch den Klempner kommen lassen ...! Also, wenn du den Haupthahn abgedreht hast, wie kann dann ... Du hast ihn nicht abgedreht ...? Und jetzt ist alles ... Du lieber Gott! Dann – mach einfach die Hintertür auf! Lass es in den Garten ablaufen ...! Die Wohnzimmertür? Du hast die Wohnzimmertür aufgemacht ...? Wieso denn das ...? Na ja, okay, egal warum ... Was schwimmt ...? Meine Steuerunterlagen ...? Da saß ich das ganze Wochenende ...*

Ja, aber was soll ich bitte schön von hier aus machen? Ich bin doch nicht dort! Hier bin ich, mitten in einer ...! Ich weiß, ich weiß, aber du hast doch wohl inzwischen den Klempner angerufen? Press einfach deinen Finger gegen das Rohr, bis er ... Du hast seine Nummer! Natürlich hast du sie! Sie steht auf der Liste mit der Überschrift »Notfallrufnummern« ... Hol sie einfach ...! Nein, nicht den Finger vom Rohr nehmen ...!

Okay, okay, kein Grund zum Schreien. Ich schlag sie grad nach ...

Das tut mir jetzt schrecklich leid ... Ich muss einfach die Nummer von diesem Klempner raussuchen ... Obwohl Sie das vielleicht alles ziemlich witzig finden. Jedenfalls witziger als meine Rede. Ich leider nicht. Aber man kann nicht jeden glücklich machen.

Okay – 07035 223 924 ... In Ordnung ...? Und ich ruf dich an, sobald ich ...

Was denn noch ...? Ruft dauernd an? Wer ruft dauernd an ...? Welche Zeitung ...? Also, wenn er wieder anruft, sagst du ihm einfach, das ist erstunken und erlogen, und wenn sie's drucken, verklage ich ihn persönlich bis auf sein letztes Hemd ... Nein, auch gut, dann gib ihm einfach meine Handynummer. Nur soll er nicht sofort anrufen ...!

Natürlich schon aufgelegt. Entschuldigen Sie. Obwohl das eine gute Illustration dafür ist, wie das Leben eines Politikers aussieht. Eine einzige endlose Serie von Notfällen und Hinterhalten! Ist es da ein Wunder, wenn wir nie etwas *geregelt* kriegen ...? Ich fürchte jetzt nur, dass dieser Reportertyp gleich anrufen wird ... Na ja, uns kann das egal sein, weil ich jetzt, sehen Sie, rechtzeitig auf stumm stelle ... Oder hatte ich das schon? Vielleicht stelle ich es nur wieder laut ...

Genau das meine ich übrigens mit der Technik ... Es wäre bereits ein ganz wichtiger Schritt getan, wenn wir alle genau wüssten, wie man Dinge an- und ausschaltet ...

Und schon klingelt's. Natürlich – es war nicht auf stumm, sondern auf laut. Entschuldigen Sie vielmals ... wenigstens das habe ich inzwischen herausgefunden ...

*Hallo ... Ja, ich bin's, nein, Sie stören leider in der Tat gerade ... Sie müssen es später noch einmal versuchen. Lassen Sie mich nur von vornherein klarstellen, dass die Anschuldigung jeglicher Grundlage entbehrt. Ich habe nie auch nur von dieser Frau gehört, die sowieso eine notorische Lügnerin ist, eine Liebhaberin von Tricks, und mehr sage ich zu diesem Thema nicht. Okay ...?*

Also. Wo waren wir ...? Wenigstens bin ich mir sicher, dass es jetzt stumm geschaltet ist. Ich steck's wieder ein. Wenn es da drin stumm vor sich hin vibrieren will, von mir aus – uns wird das nicht stören.

Ja, die Kommandeure unserer Computer ...

Eine Sekunde ... Entschuldigen Sie. Sie können es zwar nicht hören, aber es berührt meine linke Brustwarze. Die sehr empfindlich ist – hatt ich ganz vergessen ... Wenn es vibriert, kitzelt es so schrecklich ... Man bekommt es nicht aus dem Kopf – kann nicht stillhalten ... Es sei denn, ich krieg grad einen Herzinfarkt ... Ich muss es rausholen ... Uff, kein Herzinfarkt – nur das Telefon ... Ich steck's stattdessen in die Hosentasche, sehen Sie ...

Also – die Herren unserer Handys ... Oh ... Oh ...! Nicht der richtige Ort für einen Vibrator ...! Das wird ja immer peinlicher ... Wieder raus damit ... Obwohl ... Ich weiß, wie man's stumm stellt, aber nicht, wie man's vom Vibrieren abhält ... Es sei denn, man geht dran. Das tut mir alles fürchterlich leid ...

*Nein, jetzt hören Sie mal, auf diese Weise lasse ich mich nicht verfolgen! Wenn Sie mich noch einmal anrufen, beschwere ich mich förmlich bei ... Meine Liebhaberin? Wer behauptet, sie sei meine Liebhaberin? Ich habe Ihnen erzählt, sie ist meine Liebhaberin ...?*

*Ich sagte, sie sei eine Liebhaberin – aber doch nicht von mir! Von Tricks ...! Was soll das heißen, von dem auch ...? Ach ... von Archibald Trix ...? Das ist mein bester Freund! Warten Sie, warten Sie – ich verlier das Signal – ich muss das Ding kurz raustragen ...*

Ihr hier ... Telefoniert einfach inzwischen ruhig miteinander ...

# Lautstarke Bestellung

Was wollen wir?

Ach, einfach eine Kanne Tee, oder, Liebling? Und
vielleicht ein bisschen Toast?

Wann wollen wir's?

Sobald die Kellnerin herschaut. Du hast doch bestimmt eine Tasse schwer nötig nach deiner großen
Demo-Kiste!

Was wollen wir?

Ich sagte: *Tee*. Ja? Und ein paar Scheiben Toast.
Wenn dir das recht ist.

Wann wollen wir's?

Hast du nicht gehört, was ich sagte?

Was wollen wir?

Liebling ... Deine ganzen Demos ... Übertreibst du's
damit nicht ein bisschen?

Wann wollen wir's?

Anscheinend beeinträchtigen sie nämlich schon dein Kurzzeitgedächtnis.

Was wollen wir?

Tee und Toast! Ja? Okay? Einverstanden? Haben wir das jetzt?

Wann wollen wir's?

Bevor ich zu schreien anfange.

Was wollen wir?

Was *ich* ganz gerne hätte, Liebling, auch wenn du zwölfmal hintereinander dasselbe sagst, ist ein Verbot, es zu *schreien*. Es starren schon alle.

Nieder mit Verboten!

»Nieder mit ...?« Ah. Gut. Wunderbar. Neue Schallplatte. Prima. Ich denke, darauf lautet meine Antwort nach reiflicher Überlegung: Hoch die Verbote!

Nieder mit hoch!

Oh, ein echtes Gespräch! Wie aufregend! Dann also – hoch mit nieder!

Keine Knebelei!

Nie wieder schreien!

Nie wieder nie!

Immer wieder nie!

Nie wieder immer!

Stoppt den Verfall! Strengt euer Hirn an! Kämpft für längere und syntaktisch kompliziertere Slogans mit vielsilbig zusammengesetzten Wörtern, die immer da, wo es nötig ist, Relativierungen enthalten und Nebensätze, wenn dadurch die Aussage verdeutlicht wird!

Hände weg von unseren Slogans! Je knapper, desto besser! Nein zu Nebensätzen! Tod den Relativierungen! Es lebe die Alliteration! Solidarität mit der Reiteration!

Ja zur Alliteration! Ja zur Reiteration! Also: Wirtschaft! Wir wollen Wirtschaft!

Wirtschaft! Wirtschaft!

Wir wollen Wirtschaft!

Wo weilt Wirtschaft?

Wirtschaft jetzt!

Kellnerin komm!

Kellnerin kommt!

Hallo, Kellnerin!

    Kellnerin ...

Kellnerin ...

    Hoch mit dem Bestellblock!

Nieder mit Bestellungen!

    Was wollen wir denn? Ich hab's vergessen!

Bergeweise braungebackene Biobrötchen!

    Beerdig die Biobrötchen! Zu spät für Brötchen! Einfach literweise starker brauner Tee!

Nicht für mich! Scheiß auf Tee! Wir wollen Gin!

    Gin her, Gin her!

Gin her, Gin her!

# Geteiltes Vergnügen

Spucken Sie? Nein? Es macht Ihnen aber doch nichts aus, wenn ich ...? Khhghm ... Moment – sehen Sie hier irgendwo auf dem Tisch einen Spucknapf ...? Ist egal. Setzen Sie sich ruhig wieder hin! Ich nehm einfach meinen leeren Suppenteller. Khhghm – thpp!

Das kam richtig gut. Also, ich konnt's schon den ganzen ersten Gang durch kaum noch erwarten. Während des Essens wäre das natürlich völlig daneben. Sie haben den Mund voll mit Suppe, und plötzlich ... khhghm – thpp!

Sie *sind* doch mit Ihrer fertig, oder? Sind Sie nicht? Entschuldigung ...! Oh, Sie lassen den Rest lieber stehen.

Echt nett, dass es Ihnen nichts ausmacht. Man kann heutzutage gar nicht vorsichtig genug sein, bei den Vorurteilen, die die Leute so haben. Ich frage natürlich immer erst. In meiner Erfahrung ist das eine reine Formalität. Meistens antworten die Leute gar nichts. Sie reagieren wie Sie eben – lächeln freundlich und machen eine Art Handbewegung. Wahrscheinlich sind die meisten überrascht, überhaupt gefragt zu werden.

Khhghm ... Wo ist denn der Suppenteller abgeblieben ...? Nein, nein – setzen Sie sich hin! Springen Sie doch nicht dauernd auf! Ich nehm Ihren! Sie sagten doch, Sie sind fertig, oder ...? Thpp!

Gott sei Dank sind Sie keine dieser Hysterikerinnen, die anderen ihren Spaß verderben wollen. Ist sonst reichlich einseitig. Ich versuche schließlich *niemanden* davon abzuhalten, mich vollzuspucken! Das ist ein Grundprinzip von mir. In der guten alten Zeit haben die Leute dauernd gespuckt, und keiner zuckte auch nur mit der Wimper. Überall gab's Spucknäpfe – Sägemehl auf dem Boden. Doch dann sind auf einmal alle durchgeknallt. Warnungen in den Bussen: »Spucken verboten. Bußgeld £ 5.« Und eh wir uns versahen, war ein weiteres uraltes Bürgerrecht den Bach runtergegangen.

Also, ich spucke aus Prinzip immer möglichst kräftig. Und ich hol's aus der Lunge. Das hören Sie ja. Khhghm ...! Richtig *tief* aus der Lunge, auch prinzipiell. Khhhhhghhhhm ...! Wenn Sie spucken, dann bitte schön die volle Dröhnung, heraus mit dem ganzen Zeug aus der Lunge und in die Atmosphäre. Das muss doch nicht

in Ihnen drin vor sich hin gammeln, wenn Sie es kinder-
leicht ... Khhghm – thpp! ... in der Gegend verteilen können ...!

Ich hab Sie aber doch nicht im Gesicht getroffen, oder?
Mir ist schon klar, selbst die tolerantesten Nichtspucker
sind manchmal leicht empfindlich, wenn eine komplette
Ladung von dem Zeug in ihrem Gesicht landet. Deshalb
versuche ich, immer vorsichtig zu sein – dreh den Kopf
weg, und ... Khhghm – thpp! ... spucke in Ihre ausgesprochen schönen Haare oder auf das Kleid, das Ihnen
so gut steht.

Wie wär's, wenn ich jetzt ...? Nicht weglaufen, bloß
nicht weglaufen! Ich flüstere Ihnen ein paar private
Worte ins Ohr. Kann ich Sie nicht mal anrufen? Wir
könnten schön ruhig miteinander ... Khhghm – thpp! ...
Essen gehen.

Oder wir probieren etwas Aufregenderes. Vielleicht –
Khhghhkhkhkhm – thppshmk!

Sie schütteln dauernd den Kopf. Haben Sie etwas davon
ins Ohr gekriegt? Machen Sie sich nichts draus – Sie
haben's ja nicht eingeatmet ... Was soll mir jetzt dieser
Gesichtsausdruck sagen? Irgendwie bekomm ich das
Gefühl, Ihr Lächeln wirkt ein ganz klein wenig ange-

spannt. Was – Sie haben ein mini-bisschen ins Auge ...?
Ich *habe* gefragt, wenn Sie sich erinnern. Ob es Ihnen
etwas ausmacht!

Sie sind also eine dieser Anti-Spuck-Fanatikerinnen, ja?
Ich darf nicht spucken – das wollen Sie mir zu verstehen
geben? Aber Sie dürfen sich munter von mir wegdrehen
und dieses grässliche glasige Grinsen aufsetzen?

Gott, das *Ausmaß* eurer Intoleranz! Da könnt ich doch
glatt ... Also, ich sag Ihnen, was meine Reaktion ist. Ich
will einfach nur noch *khhhhhhghhhhhm* –

Oh, da kommt ja der nächste Gang. Ich heb's mir lieber
für später auf.

# Sie selbst

GAVIN OUTRIGHT Und jetzt zum ernsthaften Teil des Abends – der Holdings International Persönlichkeit des Jahres-Preisverleihung für 2014. Ein herzliches Willkommen von mir, Ihrem Gastgeber heute, Gavin Outright ... Legen wir ohne Tam Tam los, der leider nicht hier sein kann, weil er in Hollywood dreht – ich hoffe, du guckst wenigstens zu, Tam! –, kommen wir also umgehend zur ersten Preisverleihung des Abends – dem J. Walter Unction-Preis. Der J. Walter Unction-Preis wird jedes Jahr an diejenige Person verliehen, die nach Meinung der Jury in den letzten zwölf Monaten am glaubwürdigsten J. Walter Unction verkörperte. Präsentiert wird er von – einen herzlichen Applaus bitte für die Gewinnerin des letztjährigen Cheryl Upstroke-Preises – Cheryl Upstroke!

CHERYL UPSTROKE Und der J. Walter Unction-Preis für 2014 geht an ...

SANDRA SMITH (*überreicht* CHERYL UPSTROKE *wortlos, aber elegant einen Umschlag.*)

CHERYL UPSTROKE Unterhalten Sie sich ruhig ein bisschen, während ich den Umschlag öffne ...! Der J. Walter Unction-Preis für 2014 geht an – J. Walter Unction! Die Jurybegründung lautet: Dafür, dass Sie vom 1. Januar bis zum 31. Dezember 24 Stunden am Tag, sieben Tage die Woche, ohne einen einzigen Tag zu verpassen, immer J. Walter Unction waren. Kein einziges Mal – heißt es hier – war J. Walter Unction je Trafford Lloyd Niblick oder Denzil Dunning. Mit seinem unermüdlichen Einsatz, immer J. Walter Unction zu sein, war J. Walter Unction ein leuchtendes Beispiel an Konsequenz und Hartnäckigkeit für uns alle.

SANDRA SMITH (gibt CHERYL UPSTROKE wortlos, aber elegant eine Statuette zum Überreichen.)

J. WALTER UNCTION Danke, Cheryl. Mir fehlen die Worte. Ich bin völlig baff. Absolut. Nie hätte ich zu träumen gewagt ... Ich habe diesen Preis nun in jedem Jahr gewonnen, seit er etabliert wurde ... Und jedes Mal trifft mich das wie ein Blitz aus heiterem Himmel. Ich danke der Jury für das Vertrauen, das sie wieder einmal in mich gesetzt hat ... Und meinen Eltern dafür ... nun ja, dass sie diesen Preis auslobten ... und last but not least ... Entschuldigen Sie – ich bin völlig überwältigt, mir kommen gleich die Tränen – das passiert jedes Jahr ... Und last but not least – danke ich mir selbst dafür, dass ich ... derjenige bin, der ich bin.

GAVIN OUTRIGHT J. Walter Unction, heißer Favorit auf den J. Walter Unction-Preis, triumphiert wieder einmal mühelos. Ich bin Gavin Outright, auf der Holdings International Persönlichkeit des Jahres-Preisverleihung für 2014. Als Nächstes erfolgt, direkt nach der Pause, die Verleihung des Gavin Outright-Preises für den besten Gavin Outright des Jahres.

*(Er starrt schweigend drei Minuten vor sich hin.)*

Und willkommen zurück zur Holdings International Persönlichkeit des Jahres-Preisverleihung für 2014! Ich bin Gavin Outright und habe jetzt selbst Schmetterlinge im Bauch, weil wir zum Gavin Outright des Jahres-Preis kommen. Wir schauen zurück auf ein Jahr, in dem es zahlreiche Bewerber um den Titel des Gavin Outright des Jahres gab, darunter so herausragende Kandidaten wie Samantha Plunge, Trafford Lloyd Niblick und Cheryl Upstroke. Für wen von ihnen hat sich unsere distinguierte Jury entschieden, und wer darf sich nun die heißbegehrte Statuette abholen? Überreicht wird sie von einem Mann, der sich sonst selbst hier oben Preise abholt, statt sie zu präsentieren – erneut einen herzlichen Applaus für den J. Walter Unction-Preis-Gewinner J. Walter Unction!

J. WALTER UNCTION Und der Gavin Outright-Preis für das Jahr 2014 ...

SANDRA SMITH *(gibt J. WALTER UNCTION wortlos, aber elegant einen Umschlag.)*

J. WALTER UNCTION Meine Finger zittern immer noch vom letzten Mal ... Die Spannung steigt ... Wer wird es sein ...? Der Gavin Outright-Preis für das Jahr 2014 wird gewonnen von ... Sandra Smith! Großer Gott! In der Begründung heißt es, die Jury hatte das Gefühl, unsere Branche brauche frisches Blut und einen ebensolchen Blick auf die grundsätzliche Frage der menschlichen Identität. Und weiter: »Wir finden es besonders aufregend, dass dieser traditionell männliche Preis an eine Frau geht. Das rundum Erfrischende an Sandra Smith besteht darin, dass sie alle müden und abgestandenen Klischees über Gavin Outright vom Tisch wischt und seine Persönlichkeit von Grund auf nach den Kriterien ihres eigenen hochdynamischen Selbst neu interpretierte.« Also – Sandra Smith. Wo ist sie? Ist sie hier?

SANDRA SMITH *(gibt J. WALTER UNCTION wortlos, aber elegant eine Statuette zum Überreichen und akzeptiert sie ihrerseits elegant, aber vielsagend zurück.)* Danke. Ich möchte nur zum Ausdruck bringen, dass ich diesen Preis nie alleine hätte gewinnen können. Schließlich ist mehr als eine Person erforderlich, um irgendetwas zu gewinnen – man benötigt einen Gewinner und einen Verlierer, und ich danke Gavin Outright dafür, dieser Verlierer zu sein. Dass die

Juroren den Gavin Outright-Preis an jemand anderen verliehen haben als an Gavin Outright selbst, ist ein toller Tribut an seine eigene komplette Bedeutungslosigkeit. Danke dafür, Gavin, dass du dein wunderbares ausgelaugtes altes Selbst bist. Danke für deine konsequente Uneigentlichkeit, für dein unermüdliches Bemühen um das Fehlen jedweder näher bestimmbaren Persönlichkeit. Du hast den Begriff Selbstlosigkeit neu definiert. Also, eine sensationelle Revolution beim Gavin Outright des Jahres-Preis! Ich bin Sandra Smith, bei der Verleihung der Holdings International Persönlichkeit des Jahres-Preise für 2014. Nach der Pause folgen weitere aufregende Preisverleihungen – Gavin holt die Preise, und ich überreiche sie –, darunter die heftig umkämpften Kategorien »Regelmäßige Anwesenheit bei Preisverleihungen«, »Pünktlichkeit« sowie »Sauberkeit der Fingernägel«.

# PAUSE

*Bisschen die Beine vertreten?*

Genau, etwas frische Luft schnappen ...

*Und ... was hältst du bis jetzt davon?*

Ich find's völlig verwirrend. Sind wir jetzt im Theater oder in einem Buch?

*Für die Pause jedenfalls in einem Buch. Vielleicht klappt's ausnahmsweise sogar mit einem Drink. Ein Gläschen trockener Weißer?*

Und ein paar Nüsschen dazu vielleicht. Es gibt nicht mal eine Schlange vor der Damentoilette.

*Dann sind wir in einem Buch.*

Im Moment. Oder natürlich in einem Theater. Oder keins von beiden. Oder beides. Ist eins von diesen Dingern.

*Du meinst, eine von diesen »Was ist Realität und was nicht«-Kisten? Spielt sich eigentlich alles nur in unserem Kopf ab und so was?*

Sind wir tatsächlich selbst hier oder nur eingebildet?

*Und wenn ja, wer bildet sich uns ein? Ziemlich heavy das Ganze.*

Das Paar in einigen dieser Sketche ... Das sollten doch wohl nicht zufällig wir sein, oder?

*Gut möglich. Den Besuchern ein bisschen eine reinsemmeln. Uns runtermachen. Die Knete schnappen und dir dann vors Knie treten. Fühlst du dich angemessen attackiert?*

Voll platt gemacht. Jedenfalls, wenn ich da wäre.

*Guck doch mal ins Programmheft. Wie viel von dem Zeug müssen wir noch absitzen?*

Also ... Mist, noch fünfzehn Sketche.

*Wir könnten abhauen. Was meinst du?*

Die zweite Hälfte sausen lassen?

*Gemütliches kleines Abendessen. Früh ins Bett.*

Na ja ... Vielleicht sitzen wir's doch lieber ab, immerhin haben wir bis hierhin durchgehalten.

*Du meinst, von wegen Lord Nelson, England und die Pflicht?*

Value for money.

*Augen zu und durch.*

Wir müssen wieder rein. Hat's nicht grad geläutet?

Ich hab nichts gehört. Hast du dir vielleicht eingebildet.

Wie alles andere auch. Kann gut sein.

Und ich bild mir dich ein.

Vermute ich in meiner Einbildung.

Lass uns jedenfalls den Wein mit reinschmuggeln. Haben wir ein paar Plastikbecher?

Nehmen wir die Gläser! Merkt ja eh keiner!

# Gedenken

LEONARD LEADER Hallo, mein Name ist Leonard Leader, und ich bin der leitende Referent für spirituelle Angelegenheiten dieses Theaters. Ich begrüße Sie alle recht herzlich zur zweiten Hälfte unseres heutigen Programms.

Doch zunächst – und es gibt bei diesen Angelegenheiten immer ein »Doch zunächst«, nicht wahr? – nehmen wir uns kurz die Zeit, gemeinsam einer Sache zu gedenken, die uns bestimmt allen sehr viel bedeutet hat. Halten wir ein wenig inne und gedenken der Pause. Danken wir für diese besondere Zeitspanne, die gerade erst an ihr Ende gelangte und noch so frisch in unser aller Erinnerung ist.

Das hier ist kein trauriger, sondern ein glücklicher Anlass. Wir haben uns hier in diesem wunderschönen Theater versammelt, nicht um zu trauern, sondern um zu feiern. Es stimmt, dass die Pause vorüber ist und ihr Leben zu Ende ging. Mit dieser Tatsache müssen wir natürlich alle erst zurande kommen. Aber wir haben uns ja bereits verabschiedet. Das hier ist kein Begräbnis. Es ist ein Gedenkgottesdienst, ein Anlass zur Freude und zur Danksagung.

Ich denke, wir alle hier haben die Pause geliebt. Jeder von uns besitzt seinen ganz persönlichen Fundus glücklicher Erinnerungen an sie. Sie brachte so viel Freude in unser Leben.

Und doch hat sie nur eine ganz kurze Zeit gewährt. Kann es tatsächlich sein, dass sie nur 20 Minuten bei uns war? Wir blicken zurück auf diese 20 Minuten, und wie ereigniserfüllt erscheinen sie uns! Wie geehrt fühlen wir uns, sie erlebt zu haben, durch sie gesegnet und bereichert worden zu sein!

Es war eine Zeit zum Beine-Vertreten. Eine Zeit, etwas frische Luft zu schnappen und unsere Batterien aufzuladen. Vielleicht auch eine Zeit, um mit unseren Freunden zu sprechen. Vielleicht aber auch einfach zur stillen Reflexion – zum Meditieren über das, was wir bisher gesehen haben, und zur Vorbereitung auf das, was da noch kommen möge.

Das Ende der Pause markiert für uns alle in gewisser Weise das Ende einer Epoche. Nie wieder wird es eine auch nur annähernd vergleichbare Pause geben.

Wie *war* sie denn nun, diese uns so wohlbekannte Pause? Als Erstes eine persönliche Erinnerung von Mrs. Hilda Trumble.

HILDA TRUMBLE In gewisser Weise handelte es sich um eine Pause wie jede andere auch. Ich glaube, das war es, was sie so besonders machte. Ich erinnere mich noch an unsere erste Begegnung. Ich saß in Reihe C und wurde mir langsam bewusst, dass sich etwas in meinem Leben verändert hatte. Ich war nicht mehr so innerlich unbeschwert und gelassen wie sonst. Ich musste zu einer Reise aufbrechen, mich auf die Suche begeben. Also, da unten in Reihe C steckte ich ziemlich in meinem Leben fest, und wenn die Pause nicht gekommen wäre, hätte ich mich wohl kaum aufzuraffen vermocht. Und in diesem Fall – ich darf gar nicht daran denken, was dann aus mir geworden wäre. Ich frage mich, wie viele andere Menschen unter uns sind, denen es dank der Pause jetzt ein kleines bisschen besser geht. Irgendwie setzen wir diese Dinge einfach zu sehr voraus und bemerken erst, wenn es urplötzlich zu spät ist, wie wir unsere Möglichkeiten vergeudet haben. Mein einziges Bedauern liegt darin, dass ich es versäumte, die Gelegenheit zu ergreifen, ein Gläschen Weißwein zu trinken.

GEORGE GRICE George Grice, Reihe G. Für mich war diese Pause etwas absolut Außergewöhnliches. Es sind Dinge passiert, wie noch in keiner der zahlreichen anderen Pausen, die ich erleben durfte. Lassen Sie mich Ihnen nur ein Beispiel nennen. Während der Pause fiel meiner Frau ein, dass sie vergessen hatte, den Backofen zu programmieren, bevor wir das Haus verließen, wodurch die von mir vorbereitete Hühnchen-Kasserolle kalt bleiben wird. Ohne die Pause wäre ihr das vielleicht erst zu Hause aufgefallen, und wir hätten viele Dinge weder besprochen noch während der zweiten Hälfte darüber nachgedacht.

WENDY WILDE Ich will einfach nur sagen: Es war eine wunderbare Pause – oh, ich bin Wendy Wilde in Reihe J –, ich weiß zwar so gut wie gar nichts über Pausen, aber ich fand sie toll, das ging allen anderen wohl genauso, man wusste von vornherein, dass sie alle glücklich machen wollte. Gleich, als sie losging, fand ich nämlich einen Schuh unter meinem Sitz und konnte mir nicht erklären, wie er dorthin gekommen sein mochte, also manchmal streif ich meine Schuhe irgendwo ab, aber das hier war ein Männerschuh, und dann sah ich zwei Reihen hinter mir einen Mann ziemlich bedröppelt dreinschauen, er heißt Cedric, macht eine alternative Therapie, ist Steinbock, und wir trinken später einen Kaffee miteinander, deshalb möchte ich einfach nur sagen: »Danke, Pause!«

LEONARD LEADER Bevor wir in unser hektisches Leben zurückkehren, lassen Sie uns den Moment nutzen und der Leitung dieses Theaters unseren Dank aussprechen, die in ihrer unendlichen Weisheit Pausen gibt und nimmt. Halten wir die Erinnerung an diese Pause wach, indem wir in der zweiten Hälfte selbst einfach dieses kleine bisschen konzentrierter und gewogener zu Werke gehen. Und erinnern wir uns daran, wenn wir wieder einmal schweren Herzens sind, dass bestimmt eine Zeit kommen wird, die uns erneut mit der Pause vereint. Nur bleibt sie dann nicht nur zwanzig Minuten bei uns, sondern für immer. Und jetzt, mit dem Klang einer angemessen feierlichen Musik in unseren Ohren, schreiten wir gemeinsam mutig erneut in die Schlacht.

Ding dong!

*Die Abflughalle eines Flughafens. Ein besorgtes Liebespaar. Eine Lautsprecheranlage.*

LAUTSPRECHER: Ding dong!

*Letzter Aufruf für Passagiere gebucht auf Brit Air Flug DB 473 nach Bukarest. Alle noch fehlenden Passagiere werden umgehend zum Ausgang 47 gebeten.*

*Ding dong!*

*Go One Airways-Flug GK 279 nach Ankara ist nun am Ausgang 51 für Sie zum Einsteigen bereit.*

SIE: Helsinki? War das Helsinki? Hat sie Helsinki gesagt?

ER: Nein, nein. Irgend-
was. Nicht Helsinki.

SIE: Es war nicht *dein*
Flug? Nicht Birmingham?

ER: Es war Amsterdam
oder Malaga oder so et-
was. Nicht Birmingham.

*Ding dong!* KLM-Flug KL 319
*nach Dubai ist weiterhin auf*
*unbestimmte Zeit verspätet.*
*Passagiere werden gebeten,*
*auf weitere Lautsprecherdurch-*
*sagen zu warten. Wir bitten*
*um Ihr Verständnis.*

SIE: Ich halt das nicht aus!
Ich versteh nicht, was sie
sagen! Weiß nicht, was ich
hier mache ...!

ER: Ach, Liebling!

SIE: Du wirst wieder in
Birmingham sein, ich in
Helsinki, und wir sehen
uns nie mehr!

ER: Wir werden aneinan-
der denken. Weiter anein-
ander denken.

SIE: Aber wir werden nie wieder miteinander reden können! Nie, nie mehr!

ER: Es gibt so vieles, was ich dir noch sagen möchte!

SIE: Und jeden Augenblick werden unsere Flüge aufgerufen.

ER: Unsere letzte Gelegenheit zum Reden. Für immer und ewig!

*Ding dong!*

SIE: Oh, nein!

*Bitte beachten Sie, dass das Rauchen auf dem gesamten Flughafengelände untersagt ist.*

ER: Okay. Einen Moment haben wir noch. Bevor sie sie tatsächlich aufrufen. Die letzten Tage waren für mich nicht einfach nur ...

*Ding dong!*

SIE: Hör mal, hör mal!

*Tiger Airways-Flug TT 222
nach Timbuktu ist nun am
Ausgang 8 für Sie zum Einsteigen bereit.*

Sorry! Sorry! Ich dachte,
es könnten unsere Flüge
sein.

ER: Nein, ich wollte ge-
rade sagen, für mich wa-
ren die letzten Tage nicht
einfach nur …

*Ding dong!*

also, nicht einfach nur …
~~ein vorübergehender ver-~~
~~rückter Moment – na ja,~~
~~verrückt waren sie schon,~~
~~aber eine Art Verrücktheit,~~
~~wie ich sie noch nie ge-~~
~~fühlt habe …~~

*Achtung, Sicherheitshinweis:
Lassen Sie Ihr Gepäck nicht
unbeaufsichtigt. Unbeaufsich-
tigte Gegenstände werden entfernt und vernichtet.*

SIE: Oh, Liebling!

ER: Hast du?

SIE: Ja!

ER: Ja?

SIE: Ja, ja!

ER: Du *hast* so etwas schon einmal gefühlt?

SIE: Ja! Nein! Nein!

ER: Hast du gehört, was ich gesagt habe?

SIE: Ja! Nein! Nein!

ER: Ich sagte …

*Ding dong!*

Ich sagte …

~~So etwas habe ich in meinem ganzen Leben noch nicht gefühlt …~~

*Spanair-Flug JK 453 nach Helsinki ist nun am Ausgang 73 für Sie zum Einsteigen bereit.*

SIE: Was?

ER: Noch nie habe ich …

*Ding dong!*

SIE: Nie …?

*Letzter Aufruf für Passagiere gebucht auf Go One Airways-Flug GK 279 nach Ankara. Alle noch fehlenden Passagiere werden umgehend zum Ausgang 51 gebeten.*

ER: So etwas gefühlt …

SIE: Du hast nie ...?

... etwas gefühlt?

ER: Etwas in dieser Art!
Bis jetzt!

*Ding dong!*

Oh ...!

~~Wie das, was ich jetzt
fühle! Nie! Nie im Leben!
Nie etwas dieser Art ge-
fühlt.~~

*Turkish Airlines-Flug TR 399
nach Birmingham ist nun am
Ausgang 41 für Sie zum Einsteigen bereit.*

...wie das hier. Bis jetzt.
Nie. Noch nie.

Wie das hier. Nie gefühlt.
Bis jetzt.

SIE: Oh, Liebling! Erin-
nerst du dich an diesen
Abend, als wir am Ufer
des Sees im Mondlicht
standen und du gesagt
hast ...

*Ding dong!*

ER: Und ich gesagt
habe ...?

131

SIE: ~~Ach würde dieser Moment doch nie vergehen. Weiter und weiter und immer weiter bis ans Ende der Zeit auf immer ...~~ ... und ewig.

*Wir bitten Sie, aus Rücksichtnahme auf andere Fluggäste persönliche Gespräche so leise wie möglich zu führen.*

ER: Ewig?

SIE: Ewig! Ja!

ER: Wirst du mich lieben?

SIE: Nein!

ER: Nein?

SIE: Ja! Nein! In diesem Moment!

ER: Diesem Moment?

SIE: Jenem Moment!

ER: Jenem Moment? Welchem Moment? Was für ein Moment?

SIE: Am See! Im Mondlicht! Für immer weitergehen! Wie du gesagt hast!

*Ding dong!*

132

Du hast gesagt …

~~Ach würde dieser Moment doch nie vergehen. Weiter und weiter und immer weiter bis ans Ende der Zeit …~~

*Bitte beachten Sie, dass auf dem gesamten Flughafengelände das Weinen untersagt und Lachen nur in ausgewiesenen Lachzonen gestattet ist.*

ER: Ich habe gesagt …?
*Was* habe ich gesagt …?

SIE: Ist egal … Oh, Liebling!

ER: Oh, Liebling! Könnten wir doch nur den Rest unseres Lebens miteinander verbringen.

SIE: Aber ich weiß, du musst …

*Ding dong!*

~~… zurück zu deiner Familie in Birmingham, und du weißt ja, ich würde nie etwas tun, das dich von ihnen entfremdet …~~

*Bitte beachten Sie, dass Gespräche jeder Art untersagt sind, während diese Durchsage erfolgt.*

Und du verstehst, wie ich
weiß, dass …

~~…mein Leben in Helsinki
ist. – Ich habe auch eine
Familie …~~

*Ding dong!*
*Dies ist ein Sicherheitshinweis.*
*Bitte machen Sie sich das*
*bewusst.*

Das verstehst du doch,
Liebling?

ER: Ja! Du meinst also – du
liebst mich?

SIE: Nein, nein, nein.

ER: Du liebst mich nicht?

SIE: Doch! Doch! Aber was
ich meinte, ist …

*Ding dong!*

Was ich meinte, ist …

~~… Ich habe auch ein Le-
ben. In die Jahre gekom-
mene Eltern, die ich nie im
Stich lassen könnte.~~

*Letzter Aufruf für Passagiere*
*gebucht auf Spanair-Flug*
*JK 453 nach Helsinki.*

ER: Das verstehe ich,
Liebling.

SIE: ~~Meine Tante ist bettlä-~~
~~gerig, und ich muss sie~~
~~pflegen ... Ich habe zwei~~
~~Hunde ... Eine Katze ...~~

*Alle noch fehlenden Passagiere*
*werden umgehend zum Aus-*
*gang 73 gebeten. Der Ausgang*
*wird in Kürze geschlossen.*

ER: Ich weiß, ich weiß.

SIE: Sie haben unsere
Flüge immer noch nicht
aufgerufen.

Oder doch, und wir haben
es nicht gehört.

ER: Habe ich dir schon gesagt ...

*Ding dong!*

Habe ich dir schon gesagt ...

~~... wie sehr ich es liebe,~~
~~wenn du dieses kleine~~
~~ängstliche Gesicht zieh~~st?

*Letzter Aufruf für Passagiere*
*gebucht auf Turkish Airlines-*
*Flug TR 399 nach Birming-*
*ham.*

SIE: Mir was gesagt?

ER: Dir gesagt ...

~~... wie sehr ich es liebe,~~
~~wenn du dieses kleine~~
~~ängstliche Gesicht ziehst?~~

*Alle noch fehlenden Passagiere*
*werden umgehend zum Aus-*
*gang 41 gebeten. Der*

SIE: Du meinst ... am See?

ER: Am See?

SIE: Sag's mir. Am See.
War's da?

ER: Ja, oder jemals?

SIE: Jemals?

ER: Jemals. Dir jemals gesagt.

SIE: Ja ... Nein ... Mir was
gesagt?

ER: Wie sehr ich es liebe,
wenn du ...

*Ding dong!*

Wenn du ...

~~... dieses Gesicht ziehst ...~~
~~dieses Gesicht ... dieses~~
~~Gesicht ...!~~

*Bitte machen Sie sich be-*
*wusst, dass seit fast fünfzehn*
*Sekunden keine Durchsage*
*erfolgte.*

SIE: Entschuldige – ich
halte das nicht aus! Ich
sage jetzt ...

136

Ding dong!

Auf Wiedersehen!

ER: Auf Wiedersehen?

SIE: ~~Ich sage jetzt Auf Wiedersehen, weil dieser Lautsprecher einer zu viel in unserem Gespräch ist.~~

Bitte achten Sie sorgfältig auf weitere Durchsagen, weil keine weiteren Durchsagen erfolgen werden.

Das verstehst du doch, Liebling?

ER: Auf Wiedersehen? Einfach nur ... Auf Wiedersehen?

SIE: Sage es. Werde es sagen. Sage es jetzt.

Weil ich es nicht aushalte, gegen diesen Lautsprecher ...

Ding dong!

... anzusprechen!

~~Aber ich ertrage es auch wieder nicht, Auf Wiedersehen zu sagen ... Was mach ich hier nur ... Ich dreh noch durch ...!~~

Bitte seien Sie sich bewusst, dass schwätzende Passagiere diese Durchsagen auf eigene Gefahr ignorieren.

137

ER: Halt! Hör hin!

Hör mal, hör mal!

~~Wir können nicht Auf Wiedersehen sagen! Ich will einfach nur den Rest meines Lebens mit dir verbringen!~~

SIE: Ich? Bin ich das?

ER: Du! Ja! Ja! Du!

SIE: Oh nein! Nein, nein, nein!

ER: Nein?

SIE: Helsinki?

ER: Helsinki?

SIE: Du meinst, sie haben Helsinki gesagt?

ER: Nein, nein, nein. Halt, halt! Geh nicht. Ruf deinen Mann an. Jetzt! Sag ihm ...

Sag ihm ...

*Ding dong!*

*Was glaubt ihr denn, wie ich mich dabei fühle! Meint ihr etwa, es macht mir Spaß, mit mir selbst zu sprechen?*

*Ding dong!*

138

~~... die nackte Wahrheit.~~
~~Das ist natürlich hart —~~
~~hart für ihn und hart für~~
~~dich — aber manchmal im~~
~~Leben muss man der~~
~~Wahrheit ins Gesicht~~
~~sehen, wie hart das auch~~
~~sein möge ...~~

Hört ihr überhaupt, was ich sage? Meint ihr vielleicht, es ist witzig, hier außen vor zu bleiben, während ihr direkt vor meiner Nase mit eurer schäbigen kleinen Affäre beschäftigt seid?

Das war doch nicht Birmingham?

SIE: Nein! Ja! Nein! Verlass mich nicht!

ER: Du meinst ...

Also, bitte zur Abwechslung mal ein bisschen Fantasie, ja?

... du wirst ...

~~... ihn anrufen? Es ihm sa-~~
~~gen? Obwohl es ihm weh-~~
~~tun wird — ich weiß natür-~~
~~lich, dass du ihn liebst und~~
~~ihm nicht wehtun willst?~~

Bin ich etwa nicht auch einsam und eifersüchtig? Und sehne mich nicht nach einem anderen Lautsprecher für kleine heimliche Gespräche?

SIE: Ja!

ER: Ja?

SIE: Auf immer und ewig!

ER: Immer und ewig? Du
hast verstanden, was ich
sagte?

SIE: Tue ich, Liebling. Und
du verstehst ...

*Ding dong!*

... ich liebe ...

~~... die Art und Weise, wie
du alles verstehst, das ich
sage. Und ich werde an
dich denken, mein Lieb-
ling.~~

*Schön nebeneinander in der
ersten Maschine, die hier ab-
fliegt, wären wir gesessen, das
kann ich euch sagen!*

Versprochen! Versprochen!

ER: Du wirst?

SIE: Natürlich werde ich!

ER: Den Rest deines Le-
bens mit mir verbringen?

SIE: Den was ... verbrin-
gen? Nein – an dich den-
ken, an dich denken!

ER: Einen Augenblick. Wir
haben da ein kleines Miss-
verständnis. Ja oder nein,
jetzt ...?

*Ding dong!*

Warte, warte. Das ist sehr
wichtig.

*Irgendwie komme ich nicht
durch bei euch, was? Auch gut,
ihr habt es so gewollt.*

Jetzt! Schnell! Bevor sie
wieder anfängt. Ja oder
nein ...?

*Ding dong!*

SIE: Ja oder nein was ...?

ER: Warte.

*Letzter Aufruf für Passagier
Porton, gebucht auf Flug
KRH 4098 nach Helsinki.*

SIE: Ob wir uns nie wie-
dersehen?

ER: Ob wir den Rest unse-
res Lebens miteinander
verbringen?

*Und für Passagierin Cuthbert-
son, gebucht auf Flug
RIP 4713 nach Birmingham.*

SIE: Was?

ER: Was?

*Passagiere Porton und
Cuthbertson, bitte begeben
Sie sich umgehend zu Ihren
jeweiligen Ausgängen.*

SIE: Den Rest unseres
Lebens miteinander ver-
bringen?

ER: Uns nie wiedersehen?

SIE: ~~Nein, nein, nein!~~
~~Hör zu, hör zu, hör zu!~~
ER: ~~Hör zu, hör zu, hör zu!~~
~~Nein, nein, nein!~~

*Und wenn die Passagiere
Porton und Cuthbertson
jetzt endlich einmal die
Klappe halten und mir
zuhören ...*

*...dann kriegen sie den
Schock ihres Lebens,
die Passagiere Porton
und Cuthbertson, weil ihre
Flüge nämlich weg sind.*

SIE: Was hat sie gesagt?

*Ah, auf einmal hört ihr also
zu! Zu spät, meine Lieben –
noch einmal sage ich es nicht.
Jetzt könnt ihr nur noch brav*

142

hier sitzen bleiben, während alle anderen weg sind, und dieselbe nervige Show beim nächsten Flug abziehen.

# Jetzt hör mal zu

Das Abflussrohr hinten ist wieder verstopft.

Mist.

Das Abflussrohr! Wieder verstopft!

Prima.

Du musst etwas dagegen machen.

Okay, okay.

Hast du gehört, was ich gesagt habe?

Klar doch.

Hast du nicht, oder!

Hab ich nicht?

Okay, ein neues Kapitel in unserem Gespräch.

Gut.

Das wundert mich immer wieder.

Kann ich mir vorstellen.

Du hörst nie richtig zu. Aber du weißt oft, dass ich etwas sage.

Oft, ja.

Und du weißt, wann ich damit fertig bin.

Ist halt so.

Du weißt, dass du eigentlich irgendetwas antworten müsstest.

Irgendetwas, ja.

»Irgendetwas.« Genau. Dir ist also bewusst, dass etwas gesagt wurde.

Ach ja?

Du hast es nur nicht verstanden.

Natürlich nicht.

Was wir sagen, hat also die äußerliche Form eines Gesprächs.

Ich denke schon.

Ohne ein tatsächliches Gespräch zu sein.

Da magst du Recht haben.

Aber wenn du nicht verstanden hast, was ich gesagt habe, nach welchen Kriterien antwortest du dann was?

Antworte ich was?

Ob du »Antworte ich was«, »Da magst du Recht haben« oder »Gut« sagst.

Gut.

\*

Das war eine Pause, während der ich über das Problem nachgedacht habe. Ich denke, du registrierst zumindest meinen Tonfall. Hörst, ob er positiv oder negativ ist.

Nehm ich an.

Was ich sehr zu schätzen weiß.

Keine Ursache.

Ich sage jetzt mal etwas Negatives auf positive Weise und umgekehrt: Wunderbare Nachricht, Liebling! Dein alter Freund Peter Plaster ist gestorben!

Prima.

Ich fürchte jedoch, er hat dir eine halbe Million Pfund vererbt.

Mist.

★

Er ist überhaupt nicht gestorben. Dein alter Freund Peter Plaster. Erst gestern hab ich ihn gesehen. Wir hatten uns zum Mittagessen verabredet. War eine äußerst seltsame Erfahrung.

Das glaub ich dir sofort.

Weil er mir tatsächlich zuzuhören schien. Und er hat sogar selbst was gesagt.

Da siehst du mal.

Zum Beispiel, dass er einen Job in Rumänien angenommen hat und ich mitkommen soll.

Ist das so?

Sollte ich ja vielleicht.

Vielleicht.

★

Diese letzte Passage. Genau das meine ich. Grammatikalisch klang das völlig logisch: »... und ich mitkommen soll.« – »Ist das so?« – »Sollte ich ja vielleicht.« – »Vielleicht.« Das beruhigt mich sehr.

149

Gut.

Es geht nur alles den Bach runter, wenn ich bescheuert genug bin, dir eine Frage zu stellen, die eine eigenständige Reaktion erfordert, einen halbwegs originellen Gedanken.

Stimmt.

Zum Bespiel: »Was ist die Hauptstadt von Rumänien?«

Völlig wahr.

Siehst du?

Ja, klar ... Und bist du?

Und bin ich? Großer Gott! Eine Frage! Du hast mir eine Frage gestellt! Einen Beitrag geleistet! Ob ich bin? Ob ich was bin?

Mitgekommen mit wem auch immer, der gefragt hat. Hörst du dir denn nie selbst zu?

*

Nein, bin ich nicht. Mitgekommen mit wem auch immer, der gefragt hat. Wie du vielleicht bemerkt hast. Schließlich bin ich ja hier und rede mit dir. Oder?

Kann gut sein ... Bukarest, übrigens.

Bukarest?

Die Hauptstadt von Rumänien.

# Hochprozentiges

Sie wissen, wer ich bin?

Ja.

Und wer bin ich?

Mein Vernehmungsbeamter.

Ihr Vernehmungsbeamter, ja. Glasklare Antwort. Ein guter Beginn für unser Gespräch.

Danke.

Dass Sie mich identifizieren konnten, belegt Ihre hohe Intelligenz und Ihr großes Hintergrundwissen.

Sehr freundlich von Ihnen.

Meine joviale Art hat Sie nicht getäuscht?

Nein.

Ihnen ist also klar, dass Vernehmungsbeamte oft eine joviale Art haben?

Ja.

Das lässt sie paradoxerweise noch bedrohlicher erscheinen.

Deutlich bedrohlicher.

Was zu unserem Job gehört.

Das versteht sich von selbst.

Sie haben bereits Vernehmungsbeamte in Aktion erlebt?

Ja.

In Theaterstücken?

Ja.

Ich habe diese Stücke geschrieben.

Oh.

In gewisser Weise bin ich der Autor von diesem hier. Vielleicht.

Ah.

Ich verkörpere bestimmte Aspekte des Autors. Möglicherweise. Sicher ist das nicht. Die Frage bleibt offen.

Verstehe.

Der Autor ist selbst ein jovialer Mann. Das wird in der Presse immer wieder betont.

Ja.

In seinem Fall ist die Wahrheit aber eventuell etwas komplexer.

Selbstverständlich.

Ich schenke mir einen Schnaps ein.

Ja.

Für Sie ist das vielleicht ein eklatanter und erschreckender Verstoß gegen die Spielregeln eines Verhörs.

Ganz und gar nicht.

Andererseits könnte es auch darauf hindeuten, dass mir die eigene Arbeit nicht ganz geheuer ist. Und ich deshalb die betäubende Wirkung brauche.

Kann ich mir nicht vorstellen.

Jedenfalls spielt Ihre Meinung dazu nicht die geringste Rolle.

Aber woher denn.

Ihre Rolle hier besteht darin, mein Opfer zu sein.

Ich verstehe.

Es ist eine Nebenrolle.

Natürlich.

Aber keine unwichtige.

Danke.

Vielleicht repräsentieren Sie eine andere Seite des Autors. Seine etwas passivere Natur. Eine Verletzlichkeit, die er sich bemüht, vor der Welt zu verbergen.

Gut möglich.

Obwohl Sie selbst nicht gerade viel zu sagen haben.

Allerdings.

Höre ich da einen leichten Vorwurf heraus?

Nein.

Sie sollten froh sein, dass Sie überhaupt etwas Dialog bekommen.

Bin ich auch.

Beim bloßen Lesen erscheint das vielleicht ein wenig dünn.

Aber nein.

Doch jetzt von einem bekannten Schauspieler dargestellt, wird Ihnen der Subtext klar.

Wird er.

Wir sprechen von meiner Rolle.

Ich verstehe.

Es ist eine wichtige Rolle.

Eine sehr wichtige.

Eine Rolle, die zu übernehmen ich mich eventuell in irgendeiner späteren Inszenierung bereit erkläre. Sofern dies mein Terminkalender zulässt.

Da freue ich mich schon drauf.

Bei Ihrer Rolle sieht das etwas anders aus. Leider ist es uns nicht gelungen, dafür einen Schauspieler aus der ersten Reihe zu verpflichten.

Schade.

Ein hochkarätiger Darsteller hätte das Gefühl, Sie haben nicht grad viel zu sagen.

Ich verstehe.

Er würde einwenden, dass sich Ihre Rolle überhaupt nicht richtig entwickelt und ohne jedes dramaturgisches Interesse bleibt.

Da hätte er Recht.

Sie sind völlig passiv.

Ja.

Eine erbärmliche Figur.

Ein hoffnungsloser Fall.

Das liegt natürlich am Genre des Stücks, in dem Sie auftreten.

Natürlich.

Es ist nicht die Art Stück, bei der das Opfer seinem Peiniger heroischen Widerstand leistet. Ganz und gar nicht. Dieses Stück hat eine völlig andere Struktur. Es ist einfach. Es tut weh. Ist ein wichtiges, aber kurzes Stück. Ohne jede Handlung. Genau wie das Leben.

Wie mein Leben.

Wie Ihr Leben. Ja. Nicht wie meins. Oh nein. Mein Leben hat Handlung. Sie haben gerade geseufzt.

Steht in der Szenenanweisung.

War das Ihre Reaktion auf die Abgründe an menschlicher Grausamkeit, die das Stück enthüllt?

Das kann gut sein.

Es war kein Kommentar zum Stück selbst?

Nein.

Da bin ich aber froh. Unser Gespräch hätte sonst eine weniger entspannte Wendung nehmen können. Sehen Sie's positiv. Sie hätten auch gar keinen Text haben können. Wären eine stumme, schattenhafte Erscheinung gewesen, die ihre Menschlichkeit und ihr Leid lediglich mit hängendem Kopf zum Ausdruck bringt.

Das ist mir klar.

Obwohl ein guter Charakterdarsteller durchaus eine ganze Menge aus Schweigen und Kopfhängen machen kann.

Vielleicht überlegen Sie es sich ja noch einmal und übernehmen die Rolle selbst.

Wenn ich künstlerische Ratschläge bräuchte, würde ich zu den Folterinstrumenten greifen. Wissen Sie, wie lange unser kleines Gespräch schon dauert?

Ziemlich lange.

Vier Minuten und 45 Sekunden. Sie sehen nun ein, dass die Folter ein Unrecht ist.

Tu ich.

Dieser simple moralische Punkt war Ihnen vorher nicht klar?

Anscheinend nicht.

Moralisch sind Sie ein Kretin.

Das muss ich mir eingestehen.

Die Folter dauert jetzt noch 23 Sekunden. Dann endet sie.

Danke! Vielen Dank!

Sie werden ja richtig ein bisschen munter. Vielleicht hat unser kleines Gespräch doch was gebracht.

Das hat es unbedingt.

Sie können stumm die Sekunden herunterzählen, wenn Sie möchten. Es sind genau sieben.

*(Sieben Sekunden Pause. Vorhang.)*

# Haargenau

Als ein Mathematiker zu einem anderen ...

Langsam. Als *exakt* ein Mathematiker?

Na ja – jedenfalls als erste Näherung.

Und Sie sprechen zu einer ähnlichen Näherung eines anderen Mathematikers?

Sagen wir auf ± 0 001 eines Mathematikers in beiden Fällen.

Sofern wir also einen Zusatzfehler mit einrechnen, reden wir von einem Gespräch zwischen 1998 und 2 002 Mathematikern insgesamt?

Korrekt. Bis auf drei Stellen hinter dem Komma. Jedenfalls, wenn ich ein Wörtchen sagen dürfte.

Nur eins?

Also, genauer gesagt, eine Anzahl von $\{a_n\}$ Worten, wobei das n noch genauer bestimmt werden muss.

Wir können aber von einem positiven Zahlenwert ausgehen?

Natürlich, von einer positiven ganzen Zahl. Ist es grad ein guter Zeitpunkt?

18.27:31 mittlere Greenwich-Zeit würde mir gut passen. Passt Ihnen 18.27:31 mittlere Greenwich-Zeit auch?

Könnten wir nicht eher auf 18.27:47 gehen? Ich würde gerne so um 18.27:33 kurz niesen.

Kein Problem. Also ... 18.27:45 ... 18.27:46 ... Los geht's.

Danke. Es ist, äh, persönlich etwas heikel. Sie wissen ja, dass $\psi$ sich völlig mit $\theta$ zerstritten hat?

Ich weiß, $\psi$ hat $\theta$ gesagt, dass

$$D = \min_{1 \leq i \leq n} \left\{ \min_{1 \leq j \leq n, i \neq j} \left\{ \frac{d(i,j)}{\max_{1 \leq k \leq n} d'(k)} \right\} \right\}$$

Na ja, und jetzt hat sich $\theta$ bei ihrer Schwester beschwert und meint, dass

$$DB = \frac{1}{n} \sum_{i=1}^{n} \max_{i \neq j} \left( \frac{\sigma_i + \sigma_j}{d(c_i, c_j)} \right)$$

Oh, nein! Das gibt's doch nicht! Und das gilt für jeden Wert von D und d?

Da bin ich absolut +.

Positiv? Ach ja? Das ist doch eine völlig negative Sicht der Dinge! Und positiv x negativ = negativ.

Genau! Ergibt zwei Negative, und negativ x negativ = positiv. Aber inzwischen ist etwas $\geq$ passiert.

Lieber Gott im Himmel! Größer oder gleich als das?

Gestern Abend fiel, gerade als N ($\psi_y$, $\mu_y$), ein Schuss, und ... na ja ... in einem Wort:

$$X_{t+s} - X_t = \int_t^{t+s} \mu(X_u, u)du + \int_t^{t+s} \sigma(X_u, u)\, dB_u$$

Oh, mein Gott!

$\psi$ wurde so etwas von wütend! »$\sqrt{h_{mq}}$!« schrie er. »$\Sigma_{max}$ $(q + q_{gg})^2 \approx 0$!!!«

Das ist ein eklatanter Fall von rassistisch beleidigender Mathematik!

Danach wurde es dann natürlich richtig fies. Schwer zu glauben, aber innerhalb weniger Minuten:

$$\frac{\partial f(x,t)}{\partial f} = - \sum_{i=1}^{N} \frac{\partial}{\partial x_i}[\mu_i(x)f(x, t)] + \sum_{i=1}^{N}\sum_{j=1}^{N} \frac{\partial^2}{\partial x_i \partial x_j}D_{ij}(x)f(x, t)].$$

Das Problem liegt darin, dass $\psi$ so stochastisch ist.

Jedenfalls, wenn Sie ein ruhiges Zifferchen oder zwei mit ihm reden könnten.

Ich schreib ihm eine Zeile.

Das wäre sehr hilfreich. Im rechten Winkel zur Horizontalen.

# Für zwei sprechen

Gehen wir also am 17. zu den Nodgets oder nicht?

Oh ...

Und sag jetzt bloß nicht: »Lass uns überlegen.«

Nein ...

Oder: »Hängt davon ab.« Es hängt nämlich von nichts ab, wir müssen uns nur entscheiden.

Ja, nur ...

Oder: »Ja, nur.« Oder: »Was meinst *du* denn?« *Ich* weiß, was ich denke, aber ich wüsste gerne, was *du* denkst.

Okay ...

»Okay?« Heißt das jetzt: »Okay, wir gehen?«

Nein ...

Nein, natürlich nicht. Du meinst: »Okay, lass uns überlegen.« Es ist aber *nicht* okay, weil du *nicht* überlegen wirst, machst du nie, es sei denn, ich bleibe dran.

Nein, nur ...

Und schon wieder: »Ja, nur; nein, nur ... Wenn ... Aber ... Na ja ...« Ich will ein ganz einfaches »ja« oder »nein« hören, aber du hast natürlich immer einen Grund, mir nicht den Gefallen zu tun, weil ...

Ja, weil ...

Genau: »weil! Weil, weil, weil!«

Weil ...

Und dauernd musst du mich unterbrechen!

Nein, aber ...

Kaum mach ich den Mund auf, hast du mich schon wieder unterbrochen, bevor ich auch nur zwei Worte sagen kann!

Nein, hab ich nicht ...

Und ob du hast! Und als Nächstes kriegen wir ...

Hör mal ...

Und schon *wieder*!

Nein ...

Und wieder! Und jetzt unterbrichst du mich natürlich nicht nur ...

Nein, ich ...

...du widersprichst mir auch noch dauernd!

Also ...

»Also.« Siehst du? Ich kann kein einziges Wort sagen, ohne dass du sofort das Gegenteil behauptest! Ich sage »ja« – du sagst »nein«.

Ich habe nicht ...

Ich sage, du hast – du sagst, du hast nicht!

Ich hatte nicht ...

Ich sage, du hattest – du sagst, du hattest nicht! Du *hattest* mir widersprochen!

Ich hatte nur ...

Und schon wieder! Bei jedem Wort von mir. Du bist von irgendeinem Dämon besessen!

Ich hatte nicht ...

Hör dir doch nur zu!

Ich kann nicht ...

Du kannst dir nicht zuhören, nein, natürlich nicht. Du hörst kein Wort von dem, was du sagst, weil du ständig *mich* anmachst! Wenn du nur ein einziges Mal zuhören würdest, statt andauernd zu unterbrechen und zu widersprechen, dann könntest du vielleicht tatsächlich einmal hören, was du sagst!

Also ...

Und sofort wirst du pampig! Kein bisschen Kritik kannst du vertragen ...! Oder? Ich fragte: »Oder?« Oh, das Schweigen im Walde. Hast du nicht gehört, was ich gesagt habe? Rede ich hier mit mir selbst ...? Ständig machst du das! Weigerst dich, irgendwas zu sagen ...! Seufzt in dich hinein und denkst, ich kann's nicht hören. Du könntest genauso gut laut seufzen und eine Show abziehen, ich weiß nämlich, dass du mir immer noch widersprichst.

Ja.

»Ja?« Oh. Was ist das jetzt? Urplötzlich stimmst du mir zu?

Nein ...

Und natürlich: Sobald ich sage, du stimmst zu, behauptest du das Gegenteil!

Nein, ich meine: Ja, wir gehen nicht zu den Nodgets.

# Zwölfte Nacht oder, wenn Sie mögen, Timon von Athen

Ich strebe also mit diesem Vortrag, wenn Sie mögen, eine *Untersuchung* darüber an, warum jeder, der heutzutage so etwas wie einen, wenn Sie mögen, *Kommentar* zu allem und jedem abgibt, zig Wörter betonen muss, als handele es sich um Fremdwörter, und dann auch noch ein »wenn Sie mögen« vorschaltet. Das soll wohl verweisen auf irgend ...

Einen Moment, bitte. Wenn ich mag?

... irgendeine, wenn Sie mögen, *Flexibilität* und *Aufgeschlossenheit*. Eine Art, wenn Sie mögen, *interaktiver Rolle* für das Publikum. Was die Leute inzwischen erwarten, weil sie andauernd aufgefordert werden, ihre eigenen Kommentare zu posten, zu was auch immer sie gerade im Internet lesen ...

Moment, Moment! Wenn ich mag?

Wer ist das?

Ich. Hier. Ich wedele mit den Armen.

Ah, Sie. Okay. Und wer, wenn ich fragen darf, sind Sie bitte schön?

Ich bin »Sie«.

Sie sind ich?

Nein, ich bin »Sie«. Sie sagten »Wenn Sie mögen«. Das bin ich. »Sie« ist ich.

Also, na ja, wenn ich »Sie« sage, dann meine ich nicht Sie.

Wenn Sie »Sie« sagen, meinen Sie nicht »Sie«?

Nicht Sie persönlich. Es meint, wenn Sie mögen, irgendeinen.

Irgendeinen? Wenn ich mag, irgendeinen? Ich bin einer! Schauen Sie doch her! Stehen da vielleicht zwei von mir? Oder drei? Nein, es ist einer von mir! Ob ich mag oder nicht!

Genau! Da ist nur einer von Ihnen. Sie können nicht »irgendeiner« sein, wenn es bloß einen von Ihnen gibt! »Irgendeiner« heißt nicht einer!

»Irgendeiner« heißt nicht einer?

Nicht nur eine einzige Person! Es bedeutet jede Menge Leute. Ihn, sie, die dort alle ... Mich, wenn Sie mögen.

Sie?

Wenn Sie mögen.

> Wenn ich mag? Also, *wenn ich mag*, sobald Sie sagen,
> es ist, wenn Sie mögen, eine Frage der *Biegsamkeit*
> oder was auch immer es war, dann ist es biegsam,
> wenn *Sie* mögen? Und sagen Sie bloß nicht noch
> einmal »wenn Sie mögen«, ich mag nämlich *nicht*!

Sie mögen *nicht*? Sie wollen mir also absprechen, mit
dem gleichen Recht sagen zu dürfen, was ich mag oder
nicht, wie Sie das tun?

> Ich mag es nicht, wenn Sie mir erzählen, Sie sagen,
> etwas sei etwas, wenn *ich* mag, und ich muss dann
> herausfinden, es heißt eigentlich, wenn *Sie* mögen.

Kann ich verstehen. Was *würden* Sie denn mögen?

> Ich? Oh, eine Tasse Tee – Milch, keinen Zucker –
> und ein Stück Eccles Cake. Besten Dank. Und Sie?

Die Frührente und ein Häuschen im Département Lot-et-
Garonne.

> In diesem Punkt sehen Sie, wenn Sie mögen, also
> ein, dass wir *unterschiedlicher Auffassung sind*?

Wenn Sie mögen.

> Dann drücken Sie jetzt auf den, wenn Sie mögen,
> *kleinen Knopf*, auf dem »mag ich« steht.

# Blackout-Nummer

Wenn die Schauspieler am Ende einer Szene von der Bühne abgehen und unsere strahlend helle vertraute Welt in Dunkelheit getaucht wird, erwacht eine andere Welt zum Leben. Die geheime Welt der *Kulissenschieber*.

Irgendwo in der Dunkelheit taucht ein Köpfchen aus seinem Loch auf. Dann noch eins ... und noch eins ... Sie schnuppern, um zu sehen, ob sie sicher ihren Bau verlassen können.

Überall auf der Bühne kommen die wohl bemerkenswertesten aller Nachttiere aus ihren Löchern hervor. Vielleicht haben Sie schon einmal einen flüchtigen Blick auf sie erhascht, als sie geschäftig im Dunkeln herumhuschten, aber jetzt können wir dank des magischen Infrarotlichts ihre faszinierenden Gewohnheiten erstmals im Detail studieren.

Kulissenschieber sind Primaten, gehören zum selben Geschlecht wie wir, aber die Natur hat sie mit diversen Eigenschaften ausgestattet, die uns fehlen. Die offensichtlichste davon ist ihre frappierende Fähigkeit, im Dunkeln zu sehen, die es ihnen erlaubt, auf diese wahnsinnig komplizierte Weise herumzuwuseln, ohne sich gegenseitig über den Haufen zu rennen.

Auf uns mag das wie ein kompliziertes Spiel wirken, aber alles, was diese kleinen Kreaturen tun, geschieht zu einem ernsthaften Zweck. In den wenigen kurzen Momenten der Dunkelheit, die ihnen zur Verfügung stehen, müssen sie das Essen und Trinken aufstöbern, das sie während der nächsten Szene am Leben hält. Am liebsten mögen sie nur halb gegessene zermatschte Bananen, kalte Teereste oder Weinstein. Bücher sind eine weitere Delikatesse für sie. Ein ausgewachsener Kulissenschieber kann im Laufe eines einzigen Akts sein komplettes Körpergewicht an Taschenbüchern vertilgen.

Während einige nach Nahrungsmitteln suchen, halten andere Ausschau nach Material zum Nestbau – Möbelteilen oder Bühnenbildfragmenten, die die Schauspieler zurückgelassen haben. Die Kulissenschieber verstecken sie in ihrem Bau und machen Nester daraus, in denen sie schlafen, während die übrige Welt auf den Beinen ist. Dieses junge Männchen kämpft gerade mit einem Bühnenbildelement, das größer ist als es selbst ... Passt es so herum ins Loch ...? Nein ... Oder vielleicht so ...?

Kulissenschieber sind ähnlich reinlich wie Katzen, und bevor das Licht wieder angeht, haben sie ihr gesamtes altes Nestmaterial ausgeräumt und in so komplizierten wie überraschenden Mustern sauber über die Bühne verteilt. Das Faszinierendste an diesen Kreaturen der Nacht ist ihre symbiotische Beziehung zu ihren natürlichen Feinden, den Schauspielern. Schauspieler brauchen frische Ladungen an altem Nestmaterial, wenn sie wieder auftreten, das sich an gewissen, genau vorgegebenen Stellen befinden muss. Sonst hätten sie nichts, auf dem sie sitzen, aus dem sie in Momenten der Panik trinken oder mit dem sie sich in ihrem typischen Paarungsverhalten gegenseitig bewerfen könnten.

Woher wissen die Kulissenschieber, wo alles hingehört? Welcher geheime Code steht dahinter? Des Rätsels Lösung liegt in diesen kleinen Markierungen mit Klebeband, die auf dem Boden angebracht und mit bloßem Auge kaum wahrzunehmen sind.

Schauen Sie sich diese drei an, wie sie zusammen einen großen Gegenstand wie zum Beispiel einen Tisch bewegen ... Sie müssen nicht nur im Dunkeln die kleinen Stücke Klebeband erkennen, sondern auch Hunderte davon auf dem Boden auseinanderhalten können. Ist das die Markierung für den Tisch oder für den Stuhl? Sie meint anscheinend, es handele sich um die Markierung für den Tisch – allerdings in der vorletzten Szene. Er ist sich sicher, dort komme die Anrichte in der nächsten Szene hin ... Wie sie sich gegenseitig darüber verständigen, weiß man nicht genau, aber es scheint mittels eines Systems kleiner Schreie zu erfolgen, die von der Frequenz her zu hoch sind, als dass sie das menschliche Ohr zu vernehmen vermag.

Schauen Sie nur ... sie schnuppern erneut Bühnenluft und wittern Gefahr.

Sie wissen, gleich geht das Licht wieder an, und wehe dem Kulissenschieber, der von den Schauspielern auf ihrem Terrain erwischt wird.

Deshalb wieseln sie alle in ihre Löcher ... Die Kleine da rennt zurück ... Sie hat etwas fallen gelassen ... Läuft Gefahr, erwischt und lebendigen Leibes verspeist zu werden ... Aber halt, hier kommt die Kulissenschieber-Glucke, um sie wegzuscheuchen ...

Und ein weiteres Mal hat sich das allabendliche Wunder des Kulissenwechsels gerade noch rechtzeitig vollzogen für ...

... die nächste Szene.

# Hier waren wir
# doch schon mal

Links hätten wir abbiegen müssen.

Was?

An der letzten Kreuzung. Wir sind rechts gefahren. Hätten aber links abbiegen müssen.

Und warum hast du das nicht gesagt? Jetzt sind wir dran vorbei.

Tschuldigung – hab ich grad erst geschnallt. Halt an, halt an. Dreh. Da, schau. Dort an der Tankstelle.

Genau wie letztes Jahr. Jetzt kommt's mir wieder.

Genau. Letztes Jahr hätten wir links abbiegen müssen, haben wir aber nicht, wir sind rechts gefahren, und das war falsch.

Nein, nein – jetzt erinnere ich mich – wir sind letztes Jahr nicht rechts gefahren. Sondern links. Und das war falsch, also mussten wir drehen, zurückfahren und die rechte Abzweigung nehmen.

Nein, letztes Jahr hätten wir links abbiegen müssen. Sind wir aber nicht. Rechts sind wir gefahren. Und jetzt haben wir dasselbe in Grün.

Ja, und ich weiß auch, warum ich rechts abgebogen bin. Weil es richtig ist. Kann man sich ganz leicht merken. Rechts ist recht.

Nein, wir wollten uns doch letztes Jahr merken, dass rechts nicht recht ist.

»Rechts ist nicht recht?« Ziemlich steile These. An so etwas hätte ich mich nun wirklich erinnert: »Rechts ist nicht recht.«

Genau. Ganz genau! Daran würdest du dich erinnern! Wir beide würden's! Deshalb haben wir uns ja immer wieder vorgesagt: »Rechts ist nicht recht! Rechts ist nicht recht!« Und genau an dieser Tankstelle haben wir gewendet.

Genau an dieser Tankstelle, ja. Nur war das nicht letztes Jahr, sondern vorletztes. Wir sind rechts abgebogen und haben an dieser Tankstelle gewendet. Weil du nämlich gesagt hast, wir hätten links fahren sollen, also sind wir zurückgefahren und links abgebogen, was natürlich falsch war, deshalb mussten wir erneut wenden, zurückfahren und rechts abbiegen.

Du meinst die andere Tankstelle.

Was für eine andere Tankstelle?

Die an der anderen Straße, nachdem wir links abgebogen waren und du gemeint hattest, das sei falsch, und darauf bestanden hast, dass wir zurück und rechts fahren, was aber falsch war, und dann, ja, das stimmt wirklich – haben wir an dieser Tankstelle gedreht, sind zurückgefahren und links abgebogen.

Schon komisch, was: Jedes Jahr fahren wir an denselben Urlaubsort.

Wir versuchen, an denselben Urlaubsort zu fahren.

Und jedes Jahr fahren wir vorwärts und rückwärts, in der festen Überzeugung, wir hätten links abbiegen sollen, rechts abbiegen, an dieser Tankstelle oder an jener Tankstelle ...

... und jedes Jahr biegen wir schließlich rechts ab, was wir nicht Jahr für Jahr tun sollten, wenn rechts nicht recht wäre ...

Dann lass uns das für nächstes Jahr absolut auf die Reihe kriegen: Wir fahren rechts, und es ist falsch ...

Wir fahren rechts und denken, es ist falsch, also drehen wir und biegen rechts ab, weil links nämlich rechts ist, wenn du in die Gegenrichtung fährst ...

Also ist rechts jetzt falsch, und wir drehen und fahren links, weil rechts jetzt links ist ... Nein ... Ja ...

Rechts!

Ist recht. Na also.

Nein – du musst rechts abbiegen. Hier! Rechts, rechts, rechts ...! Und natürlich bist du dran vorbeigefahren! Wieder! Hast du auch verpennt, als wir letztes Jahr zurückgefahren sind!

Und vorletztes Jahr.

Und hier ist die andere Tankstelle, wo wir immer wenden ...

# Otter-Streik

Hi! Schön, dich zu sehen! Du musst also nicht mehr im Bett liegen! Dir geht's besser! Wunderbar! Topfit siehst du aus! Obwohl es anscheinend noch ein oder zwei kleine Probleme gibt ...

Ritchie saug vierer Reiter.

Okay, okay ... Mach dir bloß keinen Kopf. Von dem, was meine Frau sagt, versteh ich auch kein Wort! Und sie keins von dem, was ich sage! Ich verwende einfach jede Menge Ausrufezeichen! Ich stelle keine Fragen! Also ... Wie geht's denn so?

Strohdel bohdel. Fudel dudel.

Klingt gut.

Indel ordel wordel worbel.

Ja ... Ja ...

Tisch tusch, Schtringkumpel.

Schtringkumpel? Wunderbar! Sehr gut!

Ischkosch auch auch dinkrasch.

Oh, das tut mir aber leid zu hören.

Blau, blau, blau! Ischkosch!

Ischkosch, natürlich.

Ischkosch auch ist dinkrasch!

Auch ist ...?

Dinkrasch!

Dinkrasch. Genau. Haargenau ...

⋆

Na ja, wenigstens haben wir prima Wetter! Und du hast hier eine sehr schöne Aussicht!

Dorsal ... Tisch tosch, ma dorsal ...

Wunderbar. Toll. Eigentlich richtig dinkrasch!

Murks dinkrasch!

Murks dinkrasch? Kapiert. Doch nicht so dinkrasch!

Murks, Murks, Murks dinkrasch! Pipi tuhtel!

Okay. Ich verstehe. Ja ... Ja ... Ich verstehe ...

⋆

Also ... lass uns überlegen ... Was ist denn passiert in der großen weiten Welt da draußen? Nicht grad viel! Was hab ich zuletzt so im Fernsehen gesehen?

[*Oh, nein! Bloß kein Fernsehen!*]

Ich weiß gar nicht mehr richtig ...

[*Jetzt schon Alzheimer? Wie traurig.*]

Ich hab aber ein ziemlich interessantes Buch gelesen. Was war noch mal der Titel ...?

[*Ich dreh durch, wenn ich noch sehr viel länger hier rumsitzen und mir diesen Quatsch anhören muss. Warum haut er nicht einfach ab und lässt mich mit mir selbst reden? Hier drin ist alles völlig klar, bei mir im Kopf!*]

Was?

[*Was meint er mit »Was«?*]

Du hast auf deinen Kopf gezeigt. Was – Kopfschmerzen vielleicht? Ich hol dir ein Aspirin ...

Schpodd, schpodd!

Nein? Okay ... Ist es etwas mit deinen Haaren ... Willst du einen Kamm? Eine Haarbürste?

Tipp! Topp!

Haare schneiden? Kopf massieren? Psychotherapie ...?

Warte – was ist das jetzt ...? Diese Geste von dir ... Die Heizung runterdrehen?

[Die Heizung runterdrehen! Verdammt noch mal! »Krieg dich wieder ein« bedeutet's! Logischerweise! Komm runter! Mach halblang!]

Nein? Okay, dann – vielleicht die Heizung hochdrehen ...? Sich hinknien ...? Unters Bett schauen ...? Warte ... Dein Mund. Du zeigst auf deinen Mund. Es muss etwas mit deinem Mund sein ...

[Ja! Leg mir keine Worte in den Mund!]

Etwas zu essen? Zu trinken ...?

[Jetzt hör aber auf!] Dordel ordel schpodd schpodd schpodd!

Einen Tee. Du willst eine Tasse Tee. Natürlich. Mit Milch, ohne Zucker ...?

Ha! Ha!

Also, kein Tee ... Zahnbürste? Wunder Hals?

Ha! Ha! Ha! Ha!

Gebiss? Dich übergeben?

Na! Na!

Na?

Ha!

Ha, ja. Oder na ...

[*Wohl besser so, dass er nicht weiß, was sich hier drin abspielt. Wahrscheinlich würde er es eh nur falsch verstehen.*]

*

Also, da wären wir dann. Da wären wir ... Oh Gott, ist es schon so spät ...? Ich muss los.

[*Oh, musst du? Du bist doch erst zwei Minuten hier. Obwohl es einem zugegebenermaßen wie zwei Stunden vorkommt.*]

Ja ... Ich muss wirklich los ...

[*Dann geh doch ... Warum hockst du immer noch da? Kannst du dir nicht mal ausmalen, wie ich mich fühle? Kannst du nicht, was! Wir leben in verschiedenen Welten!*]

Oh, mir fällt was ein ... Vor kurzem hab ich Mrs. Brodbag getroffen. Du erinnerst dich doch an Mrs. Brodbag ...?

[*Oh, nein! Nicht Mrs. Brodbag! Die ist das Ende der Fahnenstange! Das muss ich ihm klarmachen.*] Schnort Pistacchio Plotthaus!

Ja – eine wunderbare Frau. Jedenfalls ...

Schnort Plotthaus! Pistacchio Plotthaus!

Nein, eher eine fürchterliche Frau, du hast recht.

Schkurt maltravers Tretwasser!

Oh, ja – mit deinem Cousin verheiratet. Natürlich, Entschuldigung.

Tretwasser, Tretwasser, Tretwasser!

Hat sie in der Tat. Macht sie immer noch.

Streunfort schrepp tick tack!

Ja.

[Wie kann ich das jetzt höflich formulieren?] Norse fall Otter-Streik!

Okay. Norse fall ...?

Otter-Streik!

Okay.

Na?

Ja-h. Ja.

[Dann mach weiter! Auf!] Plum! Plum, plum, plum! Schpuhndisch dohkel dinkytoy!

Schpuhndisch dohkel ... Na ja, zum Teil. Andererseits moidre boidre klingklang doidel ...

[*Moidre boidre ...? Ich glaub's nicht, wird ja direkt noch ein richtiges Gespräch! Also ...*] Dindel dondel!

Na!

Ha!

Na, na, na!

[*Wenigstens strengt er sich an. Aber was er da zu sagen glaubt, nicht die geringste Ahnung.*] Dipp dopp!

Dipp dopp!

[*Und er bestimmt auch nicht. Wieder mal ein Musterbeispiel menschlicher Kommunikation!*] Dong dong!

Wieh hieh!

Huh ha!

# Zwischen Käse und Marmelade

Hi! Ich bin's! Ich hab zig Mal versucht, dich anzurufen! Hab mir schon Sorgen gemacht!

Warum? Was ist denn passiert?

Nichts ist passiert! Aber es war dauernd besetzt.

Ja – weil ich versucht hab, *dich* anzurufen.

*Du* hast versucht, *mich* anzurufen? Warum? Was ist denn passiert?

Nichts! Ich hab versucht, dich anzurufen, das ist alles.

Um mir zu sagen, dass nichts passiert ist?

Nein, um herauszufinden, warum *du* versucht hast, *mich* anzurufen! Ich hab mir Sorgen gemacht. Dachte, es wäre etwas.

Ich hab nur vermutet, mit deinem Telefon könnte etwas nicht in Ordnung sein.

Deshalb hast du mich angerufen? Weil du vermutet hast, mit meinem Telefon könnte etwas nicht in Ordnung sein?

Ja, weil wenn dann etwas passiert wäre, dann hätte ich es nicht gewusst, und ich hätte mir Sorgen gemacht.

Du hättest dir Sorgen gemacht? Wenn etwas passiert wäre und du es nicht gewusst hättest?

Natürlich hätte ich das!

Wie hättest du dir denn Sorgen machen können, wenn etwas ohne dein Wissen passiert wäre?

Weil ich nicht *gewusst* hätte, dass ich es nicht weiß!

Eben!

Sag ich doch!

Jedenfalls, es ist nichts passiert.

Nein. Zufällig nicht. Also, solange bei dir alles okay ist ...

Ist es.

Wo bist du denn?

Oh nein!

Was? Was ist denn passiert?

Nichts ist passiert! Wir verwandeln uns nur langsam in eines dieser Paare, die sich dauernd anrufen und fragen: »Wo bist du?« »Ich bin im Supermarkt.« »Und du?«

Du bist im Supermarkt?

Das mein ich nicht. Was ich meine, ist ...

Du bist *nicht* im Supermarkt?

Dass ich nicht damit anfangen will zu sagen: »Ich bin im Supermarkt.«

Bist du jetzt im Supermarkt oder nicht?

Ich *bin* im Supermarkt. Zufällig. Warum, wo bist du denn?

Im Supermarkt!

*Du* bist im Supermarkt?

Am Käsestand. Oh, ich seh dich! Bei der Marmelade! Ich hab dich genau im Blick! Ich winke! Siehst du mich?

Klar seh ich dich.

Ich geh auf dich zu.

Ich weiß, ich weiß.

Ich bin fast da ... Direkt vor dir. Dann mal tschüss. Wir telefonieren.

# Die Worte und die Musik

Ein Streichquartett spielt unhörbar, weil es von lauten Party-gesprächen übertönt wird.

Plötzlich verstummen die Gespräche, und man hört die Musik.

Keiner der vier kann spielen. Sie kratzen lediglich auf ihren Instrumenten herum.

Die Musik verstummt. ZWEITE VIOLINE, BRATSCHE und CELLO schauen zu ERSTE VIOLINE. Er nickt, und sofort fangen alle wieder zu spielen an und sprechen laut miteinander, um das Geräusch zu übertönen.

ERSTE VIOLINE Wart ihr dieses Jahr schon in Urlaub? Wir waren in Middlesbrough – in einem absolut reizenden kleinen Hotel – die Kellner waren Tag und Nacht betrunken – und die Leute dort oben sind ja so was von nett – wir sind zwei Mal auf der Straße überfallen worden – aber total mit Stil – man konnte ihnen einfach nicht böse sein – und das Dach des Hotels brach ein – wir landeten alle in diesem unglaublichen Krankenhaus, wo es das traumhafteste Essen gab, das ihr euch nur vorstellen könnt – hundserbärmlich scheußliches Hack zum Frühstück, zum Mittagessen, zum Kaffee und zum Abendessen – und Bakterien, überall Bakterien, die unglaublichsten Bakterien …

ZWEITE VIOLINE Schon lustig, wie selbst auf der lautesten Party urplötzlich Ruhe einkehrt – vielleicht weil jemand im hintersten Winkel tot umkippt – oder es ist etwas Übersinnliches – die Wissenschaft gibt jetzt ja zu, dass Gedankenübertragung möglich ist – das hab ich in einem Artikel in der *Daily Mail* gelesen – und wenn du dir jetzt offensichtlich Krankheiten über das Internet einfangen kannst, dann gilt das auch für andere Dinge, wie zum Beispiel Fisch, weshalb es bald keine Fischstäbchen mehr in der Nordsee geben wird …

BRATSCHE Vor zwölf Jahren haben wir 17 000 Pfund für unser Haus bezahlt, damals fanden wir das skandalös, aber die Clerihews von gegenüber bieten ihr Haus gerade zum Verkauf an – es ist halb so groß wie unseres und hat nicht mal einen nennenswerten Einbauschrank, und wir haben auch noch einen Fahrradschuppen, der ab 19 Uhr in der Abendsonne liegt, womit die Clerihews überhaupt nicht dienen können – und sie verlangen – das werdet ihr jetzt nicht glauben – vier Millionen Pfund, die sie natürlich nicht kriegen werden, aber trotzdem, dann ist unseres zumindest 27 Pfund und 50 Pence wert ...

CELLO Ich bin zwar kein sonderlicher Fan von Modediäten, aber die Badewasser-Diät ist etwas ganz anderes, weil du essen und trinken kannst, was du willst, vorausgesetzt, du beginnst jede Mahlzeit mit drei Dessertlöffeln gewöhnlicher Toilettenseife und spülst sie mit fünf Litern dreckigem Badewasser runter; sofern du den Geschmack von Seife nicht magst, darfst du Zahnpaste drauftun, und wenn du dir einen Kopf wegen des Badewassers machst, ist es völlig okay, ein Desinfektionsmittel beizumischen, also seit sich auf dieser Diät bin, hab ich nicht mehr die geringsten Beschwerden in meinen Füßen, eigentlich spür ich überhaupt nichts mehr ...

# Zwischen den Stühlen

(*off*) Bist du das?

Nein.

(*off*) Was?

Nicht ich. Jemand anderes.

(*off*) Der Mann kam wegen dem Ding, als du weg warst.

Der Mann kam wegen dem Ding. Was für ein Mann?
Was für ein Ding?

Er meint, es ist nicht das kleine Ding hinten rum.

Nicht das kleine Ding hinten rum. Oh.

(*off*) Es ist irgendwas innen drin.

Irgendwas innen drin. Ah.

(*off*) Er meint, sie müssen es mitnehmen und – ich weiß
nicht – aber irgendwas, sie müssen irgendwas machen,
irgendwie genauer angucken, und, na ja, anscheinend
ist alles ein bisschen … (*Kommt herein.*) Jedenfalls ist es

nicht die richtige Art von – er hat es alles erklärt, ich hab's nicht genau verstanden, aber es kostet um die achtzig Pfund. Ich hab ihm gesagt, ich müsst erst dich fragen. Was meinst du?

Was ich meine?

Ich meine, es ist dein Problem, du musst entscheiden, ich weiß nicht, was ich ihm sagen soll ... Hast du die Sachen für mich in dem Dingsda-Laden besorgt ...? Er ruft morgen an, dann bist du natürlich nicht da, und ich muss ihm *irgendwas* sagen.

Okay.

Also was soll ich ihm sagen?

Wem?

Dem Mann.

Oh, dem Mann. Sag ihm die Wahrheit.

Sag ihm die *Wahrheit*?

Natürlich. Man sollte Leuten immer die Wahrheit sagen.

Was erzählst du da?

Ich hab keinen Schimmer. Keinen Schimmer, was *ich* erzähle. Ich hab auch keinen Schimmer, was *du* erzählst. Nicht den geringsten Schimmer, was wir beide erzählen.

Ich habe gefragt ... Ich zähle jetzt bis zehn ... Ich habe gefragt: Was willst du, dass ich mache?

Ich will, dass du ganz von vorne anfängst. Ich komme durch die Tür. Du fragst: Bist du das? Ich antworte: Nein. Du sagst: Was? Ich sage: Nicht ich. Jemand anderes. Und an diesem Punkt, anstatt jemand völlig Fremdem dein Herz auszuschütten, kommst du herein, um nachzuforschen. Du bemerkst, ich habe gelogen. Ich *bin* es. Also stellst du dich mir gegenüber hin, gut ausgeleuchtet, so dass ich deine Mundbewegungen sehen und deinen Überlegungen folgen kann, und du setzt dich an den Tisch ... Du setzt dich an den Tisch. Du schaust mich auf eine Art und Weise an, dass ich verstehe: Gleich wird etwas Wichtiges gesagt. Du wartest, bis ich mich auch an den Tisch gesetzt habe. Du machst eine kleine wirkungsvolle Pause. Dann sagst du laut und deutlich ...

Der Mann kam wegen dem Ding.

Der Mann kam wegen dem Ding. Gut. *Gut.* Das ist doch schon zielführender. Ich schau interessiert. Hebe die Augenbrauen. Nicke. Und ich frage: »Was für ein Mann kam wegen welchem Ding?«

Was für ein Mann? Was für ein Ding? Was soll das heißen? Du weißt, welcher Mann! Du weißt, welches Ding!

Komischerweise nicht.

Tust du doch. Das Ding auf dem ...

Oh, *nein!* Du meinst doch nicht etwa das Ding auf
dem ...?

Doch! Das Ding auf dem ...

Und er sagte *was?*

Er sagte, es ist nicht das kleine Ding hinten rum ...

Natürlich ist es das kleine Ding hinten rum!

Er sagte, es ist irgendwas innen drin.

Irgendwas innen drin? *Was* für ein Irgendwas innen
drin?

Weiß ich doch nicht.

Du hast ihn nicht gefragt? Er sagte: »Es ist irgendwas innen drin«, und du hast ihn nicht gefragt, *was*
für ein Irgendwas innen drin?

Frag *du* ihn doch!

Wie *soll* ich ihn denn fragen? Er ist ja nicht da!

Eben! Er ist nie da, wenn du da bist! Du bist nie da, wenn
*er* da ist!

Es hat einen ganz simplen Grund, dass er nie da ist, wenn ich da bin, und ich nicht da bin, wenn er da ist ...

Ich darf immer den Boten zwischen euch beiden spielen!

Weil er draußen auf der Straße wartet, bis er mich aus der Tür gehen sieht.

Mit mir hat das gar nichts zu tun! Ich weiß nicht das Geringste davon!

Er wartet, bis ich aus dem Haus bin, weil er weiß, ich verstehe, was er sagt.

Es ist dein Problem!

Er weiß, wenn er mir sagt, es ist irgendwas innen drin, dann werde ich ihn fragen, *was* für ein Irgendwas innen drin.

Ich *habe* ihn gefragt, was für ein Irgendwas innen drin!

Und er wird es mir sagen ...

Er *hat* es mir gesagt!

Und ich werde zuhören ...

Ich *habe* zugehört!

Und es wird Schwachsinn sein, weil es nämlich nicht das Ding innen drin ist, es ist immer, immer, immer das kleine Ding hinten rum ...

Das habe ich ihm *gesagt*!

Und wenn er sagt, es kostet – wie viel – es zu reparieren ...

Keine Ahnung!

Achtzig Pfund plus Mehrwertsteuer, dann weiß er ...

Du rastest gleich wieder völlig aus.

Und er weiß, wenn er *dir* erzählt, es ist das Ding innen drin, hast du nicht die leiseste Ahnung, was er da redet, und du glaubst es ihm ...

Ich erzähl dir doch nur, was er gesagt hat!

Und du wiederholst es für mich ...

Und du rastest wieder völlig aus – aber nicht vor ihm – sondern vor mir!

Und wir haben deswegen den *nächsten* Streit ...

Es ist immer dasselbe!

Und vielleicht, denkt er, vielleicht, unter Umständen, wird das dieses Mal ein Streit von so episch-gewaltigem Ausmaß, dass ich aus dem Haus renne und deshalb nicht in der Lage sein werde, ihn anzurufen und ihm zu sagen, dass es meiner bescheidenen Meinung nach nicht das Ding innen drin sein *kann* ...

Du rufst ihn *nie* an! Er ruft *mich* an!

Und dass du ihn das Ding innen drin reparieren lässt ...

Letztes Mal war es das Ding unten drunter ...

Und das kostet dich achtzig Pfund plus Mehrwertsteuer, von denen er weiß, sie bringen ihm einen Profit von netto circa neunundsiebzig Pfund und dreiundneunzig Pence, wahrscheinlich auch noch plus Mehrwertsteuer ...

Wenn *du* dich mit ihm streiten willst, *streite* dich doch mit ihm!

Und vielleicht, denkt er, bin ich gar nicht da, wenn er es zurückbringt ...

Du bist *nie* da, wenn er es zurückbringt!

Und es funktioniert immer noch nicht ...

*Ich* bin derjenige, der ihm das sagen muss.

Deshalb lass ich es ihn dieses Mal vielleicht nicht wieder mitnehmen ...

Du bist nie derjenige, der ihn dazu bringen muss, es wieder mitzunehmen!

...Und vielleicht, denkt er, während er sich draußen versteckt und wartet, dass ich das Haus verlasse, vielleicht muss er ausnahmsweise dieses Mal nicht das reparieren, was er bei allen neunhundertneunundneunzig vorherigen Anlässen tat ...

Ich bin derjenige, der ihm *alles* sagen muss!

... Nämlich das, von dem ich dir von vornherein gesagt hab, er soll es reparieren: Das kleine – Ding – hinten rum.

Was hast du denn da gekauft?

Das? Was ich für dich kaufen sollte.

Ich hab dir doch gesagt, nicht diese Marke!

Die andere hatten sie nicht.

Klar haben sie die andere!

Sie sagten, sie haben die andere Marke nicht!

Du sagst jedes Mal, dass sie das sagen!

Weil sie es jedes Mal sagen!

Weil du immer in den Laden innen drin gehst! Und nie in das kleine Geschäft hinten rum ...!

# Ich erzähle Ihnen
# ein bisschen was von mir

Hallo? Ist da das Rathaus ...? Prima – obwohl ich gestehen muss, dass ich den anderen Verein gewählt habe. Also, bei der Kommunalwahl – nicht weil mir deren Programm zusagt – bei den Parlamentswahlen hab ich sogar für euch gestimmt oder wollte es wenigstens, wenn ich es an dem Tag ins Wahlbüro geschafft hätte, aber leider ist meine Schwester krank geworden, und ich musste ...

Wie bitte? Welches Dezernat ich will ...? Nein, ich verstehe total, dass Sie im Stress sind ... völlig klar – ich würde nur *selbst* einfach auch gerne dasitzen und reden. Das ist doch das Schreckliche am Leben heutzutage. Keiner hat je die Gelegenheit, sich in Ruhe hinzusetzen und ...

Ja, natürlich. Sorry, sorry. Also, ich brauche das Dezernat, das sich um alte Sofas kümmert. Sie abholt und entsorgt – was immer sie damit machen, ob sie sie recyceln oder an bedürftige Familien weitergeben, wo es doch so viele Menschen auf der Welt gibt, die sich freuen würden über ...

Was meinen Sie ...? Oh, spreche ich schon mit jemand anderem? Bin ich jetzt in dem Dezernat, das sich um alte Sofas kümmert ...? Ah, sehr schön, wunderbar. Ich wäre Ihnen *fürchterlich* dankbar, wenn Sie mir helfen könnten. Mir ist rundum bewusst, was für ein harter Job das sein muss, schwere Sofas durch die Gegend zu hieven – obwohl Sie andererseits durchaus interessante Einblicke bekommen dürften in das Leben der Leute, die ihre Sofas loswerden wollen – das würde jedenfalls mir absolut so ...

Ein Sofa, ja – ich habe ein Sofa, das ich loswerden möchte. Tut mir leid, dass ich Sie damit behelligen muss, aber es ist schon ziemlich zerschlissen, und ich habe es immer wieder vor mir hergeschoben, etwas zu unternehmen, wieder und wieder, bis dann letzten Dienstag, ich glaube jedenfalls, es war – nein, Mittwoch war's, weil da immer Mrs. Plorey kommt – da hab ich ein richtig schönes neues Sofa gesehen, in diesem neuen Möbelgeschäft in der High Street – na ja, was heißt hier neu, schließlich ist es schon seit ein paar Jahren da – allerdings hat mir das Benehmen der Verkäuferin ganz und gar nicht zugesagt ... Einfach keine Geduld mehr haben diese Mädchen heutzutage. Man versucht, sich freundlich mit ihnen zu unterhalten, aber glauben Sie etwa, dass ...

Das Sofa ...? Ja, klar. Ich habe die Angewohnheit, ein wenig vom Thema abzukommen, wenn man mich lässt. Das sagt man mir schon, seit ich ein kleines Mädchen war – eine Geschichtslehrerin hat mir sogar geraten, das Fach aufzugeben, weil ich sowieso nicht über das erste Jahr hinauskäme, das ich gerade ...

Das Sofa, das Sofa! Ja! Also der Bezug hat ein Blumenmuster – Wildrose und Geißblatt – aber ziemlich impressionistisch – eigentlich sollte es 799 Pfund kosten – was mir *viel zu viel* vorkam – doch dann habe ich es im Schlussverkauf gesehen, und ... Nein, nein – das *neue* Sofa. Das *neue* Sofa gab's im Schlussverkauf ... Das alte Sofa ...?

Entschuldigung! Natürlich interessiert Sie das alte Sofa mehr, schließlich ist es das, was Sie freundlicherweise entsorgen werden! Also, wie gesagt, es ist ziemlich *zerschlissen* – vor allem da, wo die Katze mit ihren Krallen dran war. Ich hab es mit jeder Menge anderer Sachen versucht, an denen Timmy seine Krallen schärfen kann – aber Sie wissen ja, wie Katzen sind – vernünftig kann man sich einfach nicht mit ihnen unterhalten – die gähnen einen bloß an! Und dann sind meine Kinder drauf herumgehopst – inzwischen sind sie erwachsen – die eine ist Rechtsanwältin geworden, auf den Mund gefallen war sie noch nie – und die Jüngere produziert bemalte Eierbecher und Serviettenringe mit sehr ausgefallenen Mustern ...

Die was ...? Die Details? Also, einige beruhen auf Graffitis, die sie gefunden hat – aber keinen unanständigen, die würde sie nicht nehmen ... Des *Sofas* ...? Die Details des *Sofas* ...? Selbstverständlich. Ich komme schon wieder vom Thema ab! Genau wie die Geschichtslehrerin meinte! Und nicht nur die. Der Mathelehrer sagte zum Beispiel, hätte ich erst einmal angefangen, etwas zusammenzuzählen ...

Das Sofa. Also, das hat meine Tante mir vererbt ...

Väterlicherseits? Nein, nein, mütterlicher ...

Oh, die Frage war nicht ernst gemeint? Nein, nein – aber Sie haben völlig Recht! Es war meine Tante Jessica, nicht meine Tante Pat! Meine Tante Pat hat mir nur eine kleine Porzellanuhr hinterlassen – die war so gut wie nichts wert – und hatte eh schon Jahre vorher den Geist aufgegeben – Pat verkrachte sich damals nämlich schwer mit meiner Mutter ...

Wann? Oh, ich denke, es war 1937 – wann war die Krönung noch mal ...?

Nein, nicht die der jetzigen Königin! Die von Edward VIII. Oder meine ich George VI.? Irgendwo habe ich noch einen Souvenirbecher ...

Auf dem Kaminsims? Nein, er muss irgendwo auf dem Schlafzimmerschrank sein ... Nein, nicht im vorderen Schlafzimmer – in dem nach hinten raus ...

Sie wollen *nicht* wissen, in welchem Schlafzimmer ...? Entschuldigung, ich dachte, Sie hätten mich gefragt, ob es sich um das vordere Schlafzimmer handelt, und ich habe geantwortet ... Einen Witz haben Sie gemacht? Das ist aber nett von Ihnen. Ich dachte nämlich gerade, vielleicht wollen Sie ja einfach ein bisschen mehr wissen über die Leute, mit denen Sie zu tun haben ...

Sind Sie noch dran ...? Ist alles in Ordnung? Sie klingen etwas seltsam.

Zu viel um die Ohren, nehme ich an, wie bei uns allen! Sind Sie verheiratet? Oder sollte ich besser fragen: Haben Sie eine Beziehung? Müssen Sie sich etwa auch noch mit Kindern herumschlagen ...?

Das Sofa, ja. Immer schön beim Sofa bleiben ... Nein, aber woher denn – es ist überhaupt nicht unverschämt von Ihnen, nach den Maßen zu fragen. Die müssen Sie logischerweise haben, und ich würde Ihnen auch gerne die exakten Millimeter und Zentimeter nennen, wenn ich sie nur wüsste. Oder Meter, natürlich! Es ist ziemlich *lang*, das kann ich Ihnen sagen. Zwischen den Kamin und die Tür passt es nicht – es sei denn, ich verschiebe das Bücherregal, doch wenn ich das Bücherregal in den Flur stelle, was mach ich dann mit der Garderobe ...?

Nein, nein, ich verstehe ... Groß, ja – schreiben Sie einfach »groß« ... Und die Adresse ...? Natürlich. Selbstverständlich brauchen Sie die Adresse, und zufällig kann man sie sich ganz leicht merken, weil die Hausnummer genau doppelt so hoch wie das Alter der jetzigen Königin ist – oder jedenfalls war das so, als sie 70 war, nur ... Ja – 140. Genau. 140 Sunnydeep Lane, das war übrigens mal eine richtig nette Straße, bevor sie diesen Wohnblock an der Ecke gebaut haben ...

Wann ich zu Hause bin ...? Na ja, diese Woche immer, außer Donnerstagfrüh, da besuche ich eine alte Freundin, die einen äußerst ungewöhnlichen Unfall hatte. Sie ist aus dem Sessel gekippt, offensichtlich im Tiefschlaf, obwohl ich gerade mit ihr telefoniert hatte ...

# Nichts ist umsonst

Ein Bankettsaal. Der KÖNIG VON GRÖNLAND, *verschiedene* PRINZEN und LORDS. *Außerdem* HERREN IM SMOKING und ihre DAMEN.

GRÖNLAND
Seid gegrüßt, edle Gäste, die speisen
Heut mit unserem königlichen Selbst!
Obwohl, eingeschworne Feinde seit je,
Wir uns oft auf blut'gen Feldern schlugen
Um verfluchte Kronen und nie zagten,
Verrat zu üben jeder Art und Weis –
Die Dolche und Degen vergiftet fies,
Die Messer gezücket hinterm Rücken –
Sagen wir zu allen versammelt hier:
Genug gekämpft, Hunde ihr des Krieges!
Freunde wolln wir sein eine kurze Stund
Und trinken uns die Köpfe zu so wund,
Dass keiner mehr ziehet hurtig die Waff!
Und zum Schlusse, dem guten, enthüll ich
Unter dieser brokaten' Decke dort

Eine große Überraschung fürwahr:
Heil, königlicher Bruder von Navarr'!

NAVARRA
Mein Dank an dich, königlicher Grönland!

GRÖNLAND
Heil, Prinz von Moskau, und dir, Tatarstan.
Heil, Fife! Und mein Dunoon! Clackmannan, heil!

MOSKAU
Moskau haut viele hundert Heils zurück!

TATARSTAN
Und von Tatarstan kommen Heils noch mehr!

FIFE
Von Fife!

DUNOON
Und von Dunoon!

CLACKMANNAN
Clackmannan auch!

GRÖNLAND
Ein besonders warmes Willkommen gilt
Ihnen, guter Lord, Baron Tethering,
Chairman von United British Ales,
Deren Sponsoring der Theaterkunst
Ermöglicht unsere Produktion.

## TETHERING

Ich dank Euch, des großen Grönlands König,
Und heiß willkommen selbst all die Gäste,
Die United British Ales lud ein
Heut Abend zu unserm schönen Feste.
Genießt das üppig Essen und den Wein,
Und seid innovativ gleich obendrein.
Wir feiern keine gewöhnlich Party,
Sondern ein einzigartiges Projekt,
Einen Meilenstein auf dem stein'gen Weg
Der Verbrüderung von Kunst und Wirtschaft.
Sie fragen sich vielleicht, warum so viel
Verschämte Gesichter über Smokings,
In dieser grauen Vorzeit gar düster?
Seid nicht verwirrt. Klären wird sich alles.
Manch Jahr tat United British Ales
Bereits sein ganz bescheidenes Bestes,
Leuchttürm zu fördern der Theaterkunst,
Hat abgefüllt mit Sekt die halbe Welt,
Räume gemietet für Gratisempfäng',
Einfach durch unseren guten Namen.
Neue Wege suchen wir, zu helfen
Der Kunst und bei Laun zu halten die Gäst'.
Regisseure seufzen, wie schwer es sei,
Zu besetzen mehr als ein halb Dutzend.
Eine Bankettszene nur zu sechst, wie
Soll das gehen, es sei denn, es sei denn –

Wir werfen unsre Gäst' ins Getümmel,
In den Ofen, wo man gießet das Gold,
Und bewirten sie auf der Bühne selbst!
Zwei Fliegen fallen ach mit einer Klapp!
Die Bühne voller geschmeichelter Leut',
Und ich schreibe wieder mal Geschichte,
Indem ich Sie im Blankvers andichte.

GRÖNLAND
Ergebnen Dank, mein Herr.

GÄSTE
   Hört, hört! Hört, hört!

GRÖNLAND
Und fort fahrn wir mit unsrer spannend Szen'
Die keinen Aufschub duld'. (*Zieht.*) En garde, Navarr'!

NAVARRA
Was ist das?

CLACKMANNAN
   Nackter Verrat ist's!

NAVARRA
   Wachen!
Ho! Zu Hilfe! Mon dieu! Ich bin verlorn!

CLACKMANNAN
Nein, Schottland zieht und steht Navarra bei!

**FIFE**

Und wo Clackmannan führt, da folget Fife!
Ich zieh! Zieh auch, Dunoon!

**DUNOON**

Ich bin bereit!

**MOSKAU**

Soll der friedliebend Moskau sitzen träg,
Wenn Cousin Grönland steht allein verwaist,
Und mördrisch Thans aus schott'schen Käffern
Springen herum mit gezückter Klinge,
Gefährlich nah der gedeckten Tafel?

**TATARSTAN**

Nein, niemals, und Tatarstan auch nicht!

**NAVARRA**

Ho!

**CLACKMANNAN**

Ha!

**FIFE**

Ho!

**SIR SPOKESWOOD**

Wenn ich kurz unterbrechen darf,
Das ist vielleicht der passende Moment,
Bevor der Schwerter Klirren wird zu laut –

Und ich hör, es fließt Blut noch strömeweis,
Bis wir kommen zu Kaffee und Zigarr,
Augen und Ohren müssen dran glauben
Und werden kredenzet in Rotweinsoß! –
Dann kann ich ja vorher noch kurz ein Wort
Des Danks richten in Ihrer aller Nam'
An unsern guten Freund Lord Tethering,
Für United British Ales' Mühe,
Aus dieses scheußlichen Dramas Brühe
Ein so nettes Süppchen zu erhitzen.

GÄSTE
Hört, hört!

GRÖNLAND
    Zurück zu all den Intrigen
Des bösen Fife, den arg miesen Plänen
Des ganz herzlos verdorbenen Dunoon.

CLACKMANNAN
Nimm das!

DUNOON
    So stirb, Navarr'!

NAVARRA
        Stirb du, Dunoon!

MOSKAU
Doch halt! Die Königin!

**TATARSTAN**
  Was ist mit ihr?

**GRÖNLAND**
Die Königin!
*Sie stehen.*

**ALLE**
  Unsere Königin!
*Sie trinken.*

**KÖNIGIN**
Ich dank Euch, Lords, gar nichts ist es im Grund.
Ein kleines bisschen Gift im Wein, nicht mehr.
Leichte Verwirrung überkam mein Hirn,
Ich vergaß, ist der vergiftete Trank
Bordeaux oder Neuseelands Sauvignon.

**GRÖNLAND**
Schaut nach der Königin und dem Weine.
Doch halt! Was seh ich da! Welch grausig Bild?
Wer mag er sein, der schrecklich blut'ge Mann
Sich erhebend zur Unzeit vom Stuhle
Grinsend in verlogen guter Laune,
Ungefraget zu sprechen drohend gleich?

**SIR SPOKESWOOD**
Nur schon wieder ich, Sir Spokeswood Geech.
Ein gar wichtig Ding ich vorhin vergaß –

Und wollt's korrigieren möglichst balde,
Bevor, wie ich höre, in der nächsten
Szen tritt auf eine Art von bösem Geist!

GRÖNLAND
Ja, da steht er, der Geist von John o'Gaunt!

NAVARRA
Schmählich gemeuchelt vom Schnösel-König ...

SIR SPOKESWOOD
Gut, gut, eins nach dem andern! Erst sag ich
Dank unsrer Gastgeberin, Lady
Tethering, die wählte das Catering
Und arrangierte die Blumen höchstselbst.
Liebe Lady Tethering – lässt sich in
Worte fassen all unsre Dankbarkeit?

GRÖNLAND
Nein, lässt sich nicht.

NAVARRA
  Nein, nein!

MOSKAU
  Nie und nimmer.

TATARSTAN
Und sprächen Sie noch ewig so weiter.

GRÖNLAND
Nun, da steht er, der Geist von John o'Gaunt …

SIR SPOKESWOOD
Ich bitt um Verzeihung. Fahren Sie fort.

GRÖNLAND
Tja, da steht er, der Geist von John o'Gaunt …

SIR SPOKESWOOD
Ich dacht, ich unterbrech besser, bevor
Wir alle zu sehr werden involviert.

GRÖNLAND
Ja, da steht er, der Geist von John o'Gaunt …

MR. M. K. HOPPER, VERTRIEBSLEITER SÜD, MAGIFROTH
BRAUEREI-EQUIPMENT
Wenn ich mir vielleicht grad die Flasche dort …

GRÖNLAND
Die Flasche, aber ja … Und jetzt, der Geist,
Die grauslig Erscheinung auf unserm Fest …

MR. ELSWORTHY, VON ELSWORTHY & ELSWORTHY
Apropos Geist, da war doch mal jemand
Bei United British Ales, des' Nam'
Ich lieber nenne nicht, obwohl er leicht
Ist zu erraten … Oder lieg ich falsch?
Und 's war jemand völlig andres? Egal.

Sie werden lachen gleich ... Doch vielleicht sag
Ich's doch nicht, ihm zu ersparn die Blamasch'!
Nur so viel: Es ging um eine Dame
Sitzend mitten unter uns im Saale!

GRÖNLAND
Derweil der grauslig Geist steht da und wart' ...

MRS. BOOTLE, DIE FRAU MR. BOOTLES, VON BOOTLE,
BOOTLE & BEETLE
Und waren Sie dieses Jahr schon verreist?
Oder fragt ich Sie das etwa bereits?

MRS. ELSWORTHY
Nach Thailand flogen wir.

MRS. BOOTLE
    Sie sagten's, ja.

MRS. ELSWORTH
An diesen gänzlich unentdeckten Ort.

MRS. BOOTLE
Gänzlich unentdeckt – ja, ja, Sie sagten's.

GRÖNLAND
Wie aufregend. Zu wechseln das Thema ...

MR. HOPPER
Welch erfreulich anzusehend Gericht!

LADY SPOKESWOOD
Jemandes Großmutter ganz klein gehackt.
Als Beilage marinierte Kröten
Und gegartes Lurchauge mit Knoblauch.

MRS. BOOTLE
Oh, wie delikat, bissfeste Oma
Ist heutzutage zu finden nur schwer.

SIR SPOKESWOOD
Ja, ja, sie lassen sich lumpen gar nie,
United British Ales.

MR. HOPPER
    Wunderbar!
Nicht schon wieder ein endloser Abend
Osso- und *Nabucco* so öd wie blöd,
Womit uns quälet European Beers.

GRÖNLAND
Ich geh beiseit und stürz mich in mein Schwert.

TETHERING
Eins noch: Zu helfen dem Personale
Und zu erleichtern unsre Bedienung,
Bitten wir Recken, die gleich enden tot,
Bloß nicht zu zögern ohne jede Not

Und voller tragödienhaftem Mut
Zügig-beherzt zu nehmen ihren Hut.
Danke.

GRÖNLAND ETC.
 Wir danken.

*Sie sterben auf unterschiedliche Weise.*

TETHERING
 Ergebensten Dank.
Entfernt die Leichen, unsre Pflicht getan,
Rollt weg den Teppich, und das Fest beginnt!

# POST MORTEM

Oh, Gott, Sie waren doch hoffentlich heute Abend nicht drin. Warum kommen die Leute immer in die falsche Vorstellung?

Nein, ist wirklich freundlich von Ihnen, sich aufgerafft zu haben. Weiß ich echt zu schätzen. Und total nett, dass Sie in die Garderobe kommen. Möchten Sie was trinken? Wir heben alle einen, um uns ein wenig aufzumuntern. Wir waren einfach erbärmlich heute! In der einen Szene nach der Pause hat's uns voll geschmissen. Ist Ihnen das aufgefallen? Da, wo alle durcheinanderreden und das weiß der Himmel was bedeuten soll ... Was genau, weiß ich selbst nicht ... Haben Sie das verstanden ...? Dacht ich mir's doch, wir nämlich auch nicht.

Eigentlich haben wir keinen Schimmer, was wir da überhaupt veranstalten, ist ein einziger Alptraum, deshalb sind wir hinterher so platt.

Außerdem wart ihr heute auch ein derartiges Schrottpublikum! Wo haben sie euch bloß ausgebuddelt? Aus irgendeinem mittelalterlichen Pestgrab oder was?

*Letzten Donnerstag hätten Sie drin sein sollen! Nein, Mittwoch war's. Die Nachmittagsvorstellung. Nicht sonderlich gut besucht – war nur einer da –, aber der war rundum begeistert! Warum kommen Sie nicht einfach letzten Mittwoch noch mal und lesen es dann?*

## Willkommen im Streichholzschachteltheater!

MICHAEL FRAYN wurde 1933 in London geboren und begann seine Karriere als Journalist für den *Guardian* und den *Observer*. Zu seinen Romanen gehören: *Gegen Ende des Morgens*, *Das verschollene Bild*, *Das Spionagespiel* und *Skios*. Seine siebzehn Dramen reichen von *Der nackte Wahnsinn*, vor kurzem zu einem der drei beliebtesten Stücke Englands gewählt, bis zu *Kopenhagen*, für das er 1998 den *Evening Standard* Award für das beste Stück des Jahres sowie 2000 den Tony Award für das beste Stück erhielt. Er ist verheiratet mit der Autorin Claire Tomalin.

MICHAEL RAAB, geboren 1959, war (Chef-)Dramaturg an verschiedenen Stadt- und Staatstheatern und arbeitet heute als Übersetzer und Dozent, u. a. übersetzte er Lee Hall, Lucy Prebble, Tim Price, J. B. Priestley und Michael Frayn. 2009 erhielt er den Journalistenpreis des Anglistentags.